Le journal d'Alice

Tome 1

TEXTE : SYLVIE LOUIS

ILLUSTRATIONS : CHRISTINE BATTUZ

Dominique et compagnie

« Quel bazar ! s'est exclamée maman en entrant dans ma chambre. Demain, c'est la rentrée, Alice. Alors, tu vas faire un bon ménage. Pas ce soir ni la semaine prochaine, maintenant ! »

En soupirant, j'ai commencé à ranger le fouillis accumulé pendant les vacances. Au milieu d'une pile de bandes dessinées des Zarchinuls, je suis tombée sur les deux cahiers qu'oncle Alex m'a offerts pour mes dix ans.

« Je sais que tu aimes bien écrire et que tu as beaucoup d'imagination », m'avait-il dit. L'un des cahiers a une couverture d'un rose merveilleux. L'autre aussi est très beau avec sa couverture verte. Ça m'a donné une idée. Je vais commencer un journal intime.

Bon, ma chambre est en ordre (ou presque...). J'ai déjà pris ma douche. Mon sac d'école est prêt. J'ai donc le temps d'inaugurer le cahier rose.

Sur l'étiquette de la couverture puis au milieu de la première page, j'ai écrit de ma plus belle écriture :

Le journal d'Alice

Tome 1

Et sur la deuxième page :

Mercredi 27 août

Par où commencer ? Pourquoi pas par maman ?

Ma mère vient de loin, de l'autre côté de l'océan. Elle est belge. Elle s'appelle Astrid Vermeulen. Elle est très jolie, très gentille et très distraite. Elle travaille comme diététiste. Elle aime l'homme de sa vie, comme elle appelle papa, ses filles, les épinards, le pain de blé entier et surtout… le soya. Ça c'est une véritable obsession ! Le lait de soya à la vanille. La mousse de soya aux fraises. Sans compter le tofu, une matière caoutchouteuse à base de soya. Beurk ! Elle essaie régulièrement de nous en refiler. Mais on reste sur nos gardes.

Mon père, Marc Aubry, est québécois. Il travaille au centre-ville de Montréal dans une société qui vend des téléphones cellulaires aux entreprises. Il déteste le soya. Et il raffole du chocolat ! Caroline et moi aussi, d'ailleurs !

Caroline, c'est ma sœur. Elle a sept ans. Ou plutôt sept ans, trois mois et dix-neuf jours, comme elle le préciserait… Elle est parfois carrément casse-pieds, mais aussi très spontanée et rigolote. Avec elle, on s'ennuie rarement. Quand elle était petite, elle exigeait qu'on l'appelle Caroline Carotte ! Pourtant, elle n'est pas rousse mais blonde. Mes cheveux à moi sont presque noirs, comme ceux de mon père. En parlant de mes cheveux, c'est le drame de ma vie ! Ils sont raides et informes. Et je n'en ai vraiment pas beaucoup. Pourtant, papa possède une sacrée tignasse. Quant à maman, ses cheveux blonds sont magnifiques.

Je n'ai malheureusement pas hérité de leurs gènes capillaires, du moins en ce qui concerne le volume de mes cheveux… Pour en revenir à Caro, elle est vraiment difficile à table. Elle ajoute du ketchup sur tout. Ce qui, bien entendu, désespère notre diététiste de mère !

Notre famille est sur le point de s'agrandir. Maman a passé une échographie. On va avoir un petit frère ! Il doit naître dans une dizaine de jours. On a déjà choisi son nom : Zachary. Le mois dernier, Caroline a dû céder sa chambre au bébé. Je me suis donc retrouvée avec ma sœur dans la mienne… Elle a emménagé avec sa tribu de cochons en peluche au grand complet. Caroline se couche tous les soirs à 8 heures. À 8 h 01, elle dort déjà profondément. La lumière de ma lampe de bureau ou de ma lampe de chevet ne la dérange pas du tout. Heureusement, parce que moi, je ne me couche pas avant 9 heures.

Grand-Cœur aussi fait partie de notre famille. C'est mon chat. Je l'ai trouvé dans la rue, il y a deux ans. Ce n'était qu'une petite boule de poils noirs, poussiéreux et emmêlés, avec de grands yeux effrayés. Réfugié sous notre voiture, il miaulait à fendre l'âme. Mon cœur n'a pas résisté. Je suis parvenue à convaincre mes parents de l'adopter. Enfin, à persuader maman, parce que papa, lui, a tout de suite été d'accord. Lorsque j'ai d'abord annoncé à ma sœur que je comptais nommer le chaton P'tit-Cœur, elle a pouffé de rire.
– Plus tard, quand il sera un gros matou, ça aura l'air franchement niaiseux de l'appeler P'tit-Cœur !

Moi, je ne trouvais pas. Mais bon, je n'avais pas envie que ma sœur se moque de mon chat. Alors, finalement, je l'ai baptisé Grand-Cœur. Aujourd'hui, c'est un superbe chat au poil lisse et brillant.

Les parents de mon père habitent à la campagne, près de la frontière américaine. J'adore aller là-bas ! Ils ont trois fils : Étienne, Marc et Alex. Marc, c'est mon papa. Son plus jeune frère, mon oncle Alex, est photographe. Il voyage partout dans le monde. Son frère aîné, oncle Étienne, vit avec tante Sophie et mes cousins Olivier et Félix à Port-au-Persil, en Charlevoix. Comme c'est très loin, on n'a pas l'occasion de les voir souvent. La famille de ma mère, on la voit encore moins. Mamie, tante Maude, ma cousine Lulu et mon cousin Quentin vivent en Belgique. Mais cet été, Mamie est venue passer un mois chez nous. Papi, lui, est mort d'un cancer quand j'étais petite. Je ne m'en souviens pas beaucoup. Du papa de mes cousins non plus, d'ailleurs. Lui et ma tante sont séparés depuis longtemps.

Nous, on habite à Montréal, au 42, rue Isidore-Bottine. Un peu plus loin, au n° 54, il y a monsieur et madame Baldini. Les cheveux gris de Rosa Baldini ont des reflets un peu mauves. Ses rides dessinent des rayons de soleil autour de ses yeux quand elle sourit. Devant sa maison, il y a un parterre rempli de nains de jardin. Ils ont de bonnes joues rouges et un grand sourire comme elle. Quand Caroline et moi on était petites, on allait les saluer. Madame Baldini, ça ne la dérangeait jamais qu'on marche sur son terrain. Au contraire! Chaque fois qu'elle nous apercevait par la fenêtre, elle accourait et nous offrait des biscotti aux amandes. Ce sont des biscuits italiens qu'elle prépare elle-même. Ses petits-fils habitent à Toronto, et elle ne les voit que deux ou trois fois par an. C'est peut-être pour ça qu'elle est toujours si heureuse de nous voir, Caro et moi.

Ma meilleure amie s'appelle Marie-Ève. Elle a de beaux cheveux châtains légèrement ondulés. Je ne l'ai pas vue depuis mon anniversaire, le 15 août. Je suis bien contente de la retrouver demain! Je fais un vœu pour que, cette année encore, on soit dans la même classe.

Mon ennemie publique numéro 1, c'est Gigi Foster, la plus grande de la classe. Quelle nuisance, cette fille! Elle passe son temps à nous espionner. Elle n'a aucun sens de l'humour. Et en plus, elle savoure, à chaque récréation, sa tablette de chocolat ou ses chips bar-becue. Bien entendu, elle ne les partage jamais. Par malchance, on a toujours été dans la même classe. Je formule donc un second vœu: que Gigi Foster se retrouve dans l'autre classe de 5e. Ce serait déjà bien assez de devoir la supporter à la récréation…

Je me demande qui on aura comme enseignante, cette année : madame Robinson ou madame Pescador ? Madame Robinson a l'air plutôt sévère quand on la croise dans les couloirs. Pourvu que ce soit madame Pescador ! Elle est très gentille, et il paraît qu'elle ne donne pas trop de devoirs. C'est mon troisième vœu.

Jeudi 28 août

Ce matin, Marie-Ève m'attendait au fond de la cour de récréation, sous l'unique érable de l'école des Érables. C'est notre lieu habituel de rendez-vous.

– Bonjour, Alice ! m'a-t-elle dit en m'embrassant. J'ai adoré mon camp d'équitation, mais j'avais très hâte de te revoir.

– Et moi alors ! ai-je répondu. Oh, regarde ! Monsieur Rivet commence à accrocher les listes d'élèves des différentes classes sur le mur. Allons voir !

Monsieur Rivet, c'est le directeur de notre école.

– Bonjour, les filles, a-t-il dit. Vous avez grandi pendant les vacances ! Regardez, j'ai déjà affiché les classes de 6e et de 5e année.

5e A : Classe de madame Robinson. Le cœur battant, j'ai parcouru la liste des noms. Ni le mien ni celui de Marie-Ève ne s'y trouvaient. On est toutes les deux en 5e B !

– YÉÉÉÉÉÉ ! ! ! avons-nous crié en même temps.

Mon vœu s'est réalisé ! Enfin, mon premier vœu, parce que pour le second, horreur absolue, c'est raté !

Gigi Foster se trouve elle aussi en 5e B…

– Salut, Alice! Tu as vu? On est dans la même classe!

Je me suis retournée.

– Oh, Karim! Bonjour! Oui, c'est vraiment cool. Tu as passé de bonnes vacances au Liban?

Karim est très sympathique. Il ne rit jamais de moi quand je rate le ballon au cours d'éducation physique ou quand madame Fattal, la prof d'anglais, fait une remarque désobligeante sur mon accent. Et en plus, il partage ses bonnes collations.

C'est super aussi de retrouver nos copines Africa, les deux Catherine, Audrey et la petite Jade. Par contre, je t'avoue, cher journal, que j'aurais préféré que Patrick soit dans l'autre classe. Il se moque souvent des filles et fait des blagues pas subtiles. Jonathan, qui remue tout le temps, et Bohumil, le génie en maths, se trouvent aussi avec nous.

– Alice, on n'a pas madame Pescador! s'est exclamée Marie-Ève d'un air catastrophé. Viens voir, c'est indiqué ici: *Classe de monsieur Gauthier.*

La cloche a sonné. Un homme jeune, très très grand et super costaud s'est approché de nous. Un géant blond-roux avec des yeux bleu clair, vêtu d'un jeans et d'une chemise orange à manches courtes.

– Bonjour, vous êtes les 5e B? a demandé ce colosse. Je m'appelle Julien Gauthier. Je suis votre enseignant.

– On dirait un ogre, a chuchoté Marie-Ève en montant l'escalier.

Elle avait l'air franchement déçue de ne pas être dans la classe de madame Pescador Mais cette année, celle-ci enseignera aux 6e A.

En classe, l'enseignant a distribué un petit carton à chacun de nous. Il fallait y inscrire son nom et venir le glisser dans un sac en tissu rouge.

– Je vais vous attribuer vos places, a-t-il annoncé.

Quand tous nos noms se sont retrouvés dans le sac, il l'a secoué puis a commencé à les sortir deux par deux. Moi qui voulais bien sûr m'installer avec Marie-Ève, me voilà à côté d'Eduardo, l'ami de Patrick… Au moins, je ne suis pas avec Gigi Foster ! Marie-Ève, elle, a comme voisine une nouvelle élève qui s'appelle Éléonore Marquis. Elle est grande et mince avec de longs cheveux châtains tout lisses. J'aimerais avoir une chevelure comme elle ! L'autre nouveau s'appelle Simon Hétu-Ouelette. Il est blond avec des lunettes.

Monsieur Gauthier nous a demandé de nous présenter, en mentionnant trois caractéristiques personnelles. J'ai raconté que je rêve de faire le tour du monde comme mon oncle Alex, que j'adore le chocolat à la menthe et que j'ai une peur bleue des araignées.

– À mon tour, a déclaré monsieur Gauthier. Je viens de la Gaspésie, une région superbe à l'est du Québec. Vous êtes la première classe à qui j'ai l'honneur d'enseigner. Et je suis passionné par les planètes, les étoiles, les galaxies, bref, par l'espace.

Notre professeur a sorti un coffret doré d'un grand sac. Il l'a longuement poli avec un chiffon, jusqu'à le faire étinceler. On l'observait en silence.

– Vous vous demandez ce qu'il y a dedans? a-t-il dit en l'ouvrant.

Le coffre était vide. Un « Ohhh… » de déception s'est élevé dans la classe.

– C'est à vous de le remplir, a fait monsieur Gauthier en déposant le coffre par terre, à côté de son bureau. Lorsque l'un de vous sera pris en flagrant délit de bon comportement, je lui remettrai un galet.

– Une galette? a demandé Catherine Provencher, qui a toujours faim.

– Non, un galet, a répété notre enseignant en souriant. Les galets sont des cailloux qu'on trouve au fond des rivières et parfois sur leurs rives.

– Qu'est-ce que vous voulez qu'on fasse d'un caillou? a bougonné Patrick en levant les yeux au ciel. On n'est pas des bébés!

Imperturbable, monsieur Gauthier a répondu:

– L'élève qui aura mérité un galet ira le déposer dans le coffre aux trésors. Et dès que celui-ci sera plein, toute la classe bénéficiera d'un privilège.

– Quel genre de privilège? a demandé Marie-Ève, soudain très intéressée.

– Ça peut être, par exemple, de profiter d'une heure d'activité libre ou d'une période de devinettes, a dit monsieur Gauthier. Ou encore d'assister à un petit spectacle de magie.

– Des tours de magie! s'est exclamée Africa, les yeux brillants. Vous allez faire venir un prestidigitateur en classe, monsieur?

– Le prestidigitateur, c'est moi, nous a-t-il annoncé. La magie compte en effet parmi mes passe-temps favoris. Comme devoir pour demain, les amis, je vous propose de réfléchir à la question des privilèges. Vous me remettrez vos suggestions par écrit.

Finalement, il a l'air cool, notre enseignant! Et il est aussi souriant que madame Pescador.

On ne peut pas en dire autant de madame Fattal, la prof d'anglais! On l'a eue en deuxième heure. Petite et rondelette, avec des cheveux noirs impeccablement coiffés, c'est l'enseignante la plus sévère de l'école des Érables. Elle est arrivée en classe en boitant. Bizarre… Malgré ça, elle est comme d'habitude perchée sur ses chaussures pointues à talons aiguilles. Elle en possède toute une collection.

– Vous avez mal à la jambe? lui a demandé Jonathan.

– C'est impoli de se mêler de ce qui ne te regarde pas, a répliqué madame Fattal d'un ton sec.

Toujours aussi aimable…

En s'avançant vers le bureau, elle a trébuché sur le coffret doré.

– Aïe! s'est-elle écriée. Qui a laissé traîner cette boîte ici?

– C'est le coffre aux trésors de monsieur Gauthier, lui ai-je répondu.

– Un coffre aux trésors en classe? s'est étonnée madame Fattal. Il se prend pour un pirate, ce nouvel enseignant? Et à quoi sert-il, ce coffre? À y classer des verbes irréguliers? Ou des photos d'animaux en voie de disparition?

– Oh non! On y déposera les cailloux qu'on aura gagnés grâce à notre bon comportement, a expliqué Gigi Foster. Et quand le coffre sera plein, on recevra une récompense.

– Des cailloux! s'est étouffée madame Fattal. Des récompenses! Ma parole, il se croit en maternelle, ce monsieur euh…?

– MONSIEUR GAUTHIER! a-t-on fait en chœur.

– Bon, passons aux choses sérieuses! a-t-elle déclaré. Ouvrez votre agenda en page 3.

Pitié… Pas encore la lecture des premières pages de l'agenda! Madame Fattal est une véritable maniaque du code de vie. Elle connaît les règlements de l'école par cœur et ne tolère pas le moindre écart de conduite. À chaque rentrée, elle commence son cours en faisant lire un article à haute voix par chacun des élèves. C'est à mourir d'ennui.

– «Article 1…»: Karim, tu commences.

Puis, ça a été au tour de Jade et de Catherine Frontenac. Pendant que Bohumil lisait l'article 4 sur la tenue vestimentaire, j'ai étouffé un bâillement. À l'article 12, je bâillais tellement que j'en avais les larmes aux yeux. Madame Fattal a interrompu Simon, le nouveau à lunettes.

– Alice a eu deux mois de vacances pour se reposer, a-t-elle dit. Et pourtant, je constate qu'elle semble trop fatiguée pour réviser le code de vie avec nous.

Elle m'a fusillé du regard et a lâché :

– Pour te rafraîchir la mémoire, ma fille, tu le recopieras intégralement. Et tu me le remettras jeudi prochain.

C'est pas vrai ! Moi qui avais pris la résolution, cette année, d'essayer de me faire oublier de madame Fattal, eh bien, c'est raté ! Elle ne m'aime pas parce que je ne suis pas bonne en anglais, que je suis distraite et bavarde. J'ai dû lire l'article 23 selon lequel il est interdit de mâcher de la gomme à l'école. Passionnant… Après la lecture du 26e et dernier article, madame Fattal a déclaré :

– Racontez-moi votre été. *In English, of course.* Audrey, tu commences ?

Audrey, c'est LA chouchou de madame Fattal. Pas étonnant qu'elle soit si bonne en anglais ; elle le parle à la maison avec ses parents. Ensuite, Eduardo et Marie-Ève ont dû parler à leur tour. Éléonore a levé la main.

– *Yes ?* a dit madame Fattal.

Elle a demandé en anglais si elle pouvait elle aussi faire le récit de ses vacances.

– Bon, d'accord, mais dépêche-toi, a fait notre enseignante. Il ne reste que deux minutes.

La nouvelle élève avait passé un séjour à New York. Même si je ne comprenais pas grand-chose d'autre à ce qu'elle disait, je me rendais compte qu'elle s'exprimait très bien en anglais.

– *Excellent!* s'est exclamée la prof au moment où la cloche de la récré a sonné.

– *Thank you, Mrs Fattal,* a répondu Éléonore en se tortillant sur sa chaise.

Le sourire fendu jusqu'aux oreilles, elle avait du mal à cacher sa fierté.

– Tu as vu comme cette fille m'a regardée ? m'a demandé Marie-Ève en sortant de la classe.

– Éléonore ? Non, je n'ai pas fait attention.

– Elle m'a toisé d'un air supérieur. Non mais, pour qui elle se prend, celle-là !

– Pour une future chouchou de madame Fattal, peut-être ? ai-je suggéré en prenant un air comique.

Et on a toutes les deux éclaté de rire.

Après le dîner, elle et moi, on s'est réfugiées à l'ombre de notre érable. Assises contre le tronc, on a discuté de la question des privilèges.

– Qu'est-ce que je pourrais bien proposer ? s'est demandée mon amie.

– Réfléchis, ai-je répondu. Il y a certainement quelque chose que tu aimerais ?

– Oui, tu as raison. Inviter en classe un spécialiste des chevaux qui nous apprendrait des tas de choses sur mon animal préféré.

– Bonne idée. Moi aussi, j'en ai une. Déguster en classe un chocolat chaud garni de crème fouettée et de guimauves miniatures !

– Tu rêves à un chocolat chaud ? ! s'est exclamée Marie-Ève. Moi, par cette chaleur, je préférerais de loin un grand verre de Citrobulles bien frais ! Ou une crème glacée. Tiens, c'est une bonne idée de privilège, ça.

– Je pensais à l'hiver, ai-je expliqué. Quand il fait un froid polaire et qu'on revient complètement frigorifiés de la récréation. Un bon chocolat chaud, ce serait agréable, non ?

Ma meilleure amie n'avait pas l'air convaincue.

– Mais comment veux-tu que notre enseignant fasse chauffer du lait en classe ?

– Écoute, Marie-Ève, il nous a demandé des idées ; alors qu'il se débrouille pour les réaliser ! ai-je répondu. Surtout qu'il affirme avoir des talents de magicien ! Et j'ai encore autre chose à lui proposer : pouvoir tout simplement choisir à côté de qui on s'assied en classe.

– Parce que, bien sûr, tu as une folle envie d'être la voisine de Gigi pendant toute l'année scolaire ! s'est esclaffée Marie-Ève.

– On ne peut rien te cacher, lui ai-je répondu en levant les yeux au ciel. Comment as-tu deviné mon rêve le plus cher ?

Vendredi 29 août

Ce matin, notre enseignant a ramassé les feuilles avec nos idées de privilèges.

– Monsieur, vous nous les lisez ? ai-je demandé, tout excitée.

– Non, Alice, a-t-il répondu avec un beau sourire. Ces privilèges doivent rester des surprises ! Vous les découvrirez chaque fois que le coffre débordera de galets. Et maintenant, levez-vous, les amis !

On s'est tous regardés avec un air étonné et, à part Éléonore et la petite Jade, on est restés assis.

– Allez, approchez, a insisté monsieur Gauthier.

Alors on s'est tous levés en même temps en faisant un sacré boucan avec nos chaises. Puis, on s'est pressés comme un troupeau de moutons autour de son bureau.

– Regardez, nous a-t-il demandé en désignant le fond de la classe, ce mur, quand vous êtes assis, vous lui tournez le dos. Mais moi, je le vois toute la journée. Ces vieilles affiches décolorées me donnent le cafard. Il faut mettre des couleurs dans cette classe ! Et si on la redécorait ? Lundi, vous apporterez une affiche ou une photo de votre héroïne ou héros préféré.

– Mon héros à moi, c'est Batman ! s'est exclamé Jonathan.

– Moi, j'admire Einstein, a déclaré Bohumil.

– C'est qui, lui ? a demandé Jonathan. Un chanteur punk ?

– Mais non, c'est un grand savant, a répondu Simon, le nouveau.

– C'est Jamie Oliver mon idole ! a affirmé à son tour Catherine Provencher. À la maison, on a toute la collection de ses émissions de cuisine sur DVD. Mon père et moi, on fait régulièrement ses recettes.

– Et moi, c'est Chantal Petitclerc, a annoncé Africa. Quelle athlète formidable !

– Tu as raison, Africa, elle est impressionnante, a affirmé monsieur Gauthier. Bon, vous voyez, ce sera très varié !

– Vous aussi, vous allez apporter une affiche de votre héros ? ai-je suggéré.

– Bonne idée, Alice ! C'est promis.

– Tu choisis qui, toi, comme héros ? ai-je demandé à Marie-Ève à la récréation.

– Les Tonic Boys, évidemment ! a-t-elle répondu. Et justement, ça tombe bien ! Dans le numéro de septembre du magazine *MégaStar* qui est arrivé hier chez nous, il y a un super poster de Tom Thomas et de ses musiciens sur scène.

– Moi aussi, c'est mon groupe préféré, ai-je décrété. Mais je n'ai pas d'affiche d'eux.

– Aucun problème, a répondu mon amie. Je t'en dénicherai une. Demain, j'irai feuilleter les anciens numéros dans la salle d'attente du salon de beauté.

En effet, la mère de Marie-Ève est esthéticienne. Et la famille habite dans un appartement juste au-dessus de son institut de beauté.

Samedi 30 août

Cet après-midi, j'écoutais mon disque des Tonic Boys quand maman a surgi dans ma chambre :

– Viens Alice, on part chez le coiffeur !

– Comment ça, chez le coiffeur ? ai-je demandé, surprise.

– Il faut absolument rafraîchir ta coupe de cheveux, a-t-elle affirmé. Tu te rappelles ? Je t'en avais parlé au début de la semaine, mais finalement, on n'a pas eu le temps d'y aller.

– On va chez ta coiffeuse ?

– Non, j'ai encore beaucoup de choses à faire cet après-midi. Allons plutôt chez Tony, le coiffeur qui s'est installé au coin de la rue.

– Mais c'est un coiffeur pour hommes ! ai-je protesté.

– Oh, pour hommes et pour enfants, a répondu maman en haussant les épaules. Allez, dépêche-toi, on y va !

Monsieur Tony nous a accueillies dans son minuscule salon de coiffure. Son sourire dévoilait des dents étincelantes. Ça m'a fait froid dans le dos. On aurait dit qu'il n'allait faire qu'une bouchée de moi. Ou plutôt de mes cheveux. J'avais envie de m'enfuir. J'ai remarqué deux affiches au mur. On y voyait des hommes avec des cheveux peignés sur le côté et qui brillaient, comme ceux, justement, de monsieur Tony.

Je les ai montrées à maman en chuchotant :

– Regarde, maman ! Je ne suis pas un homme. Je suis une fille !

Avant que ma mère ait eu le temps de me répondre, le coiffeur m'a désigné l'unique fauteuil de son salon et m'a enveloppée dans une blouse trois fois trop grande pour moi. Maman, la lâche, a lancé :

– J'en profite pour passer à l'épicerie. Je reviens dans une dizaine de minutes.

Je l'ai fusillée du regard mais ça n'a servi à rien. Elle était déjà partie. Les ciseaux ont crissé désagréablement près de mes oreilles.

– Pas trop court, s'il vous plaît ! ai-je supplié. Il faut juste les égaliser.

– N'aie crainte, ma petite *signorina* ! a répondu monsieur Tony.

Mais oui, j'avais peur !

– Redresse-toi, sinon je risque de couper de travers, a-t-il averti.

Il ne manquerait plus que ça !

Je suis donc restée immobile comme une statue, les yeux fermés et osant à peine respirer.

Au bout d'un moment qui m'a semblé interminable, le coiffeur a lancé d'un ton enthousiaste :

– Et voilà ! *Bellissima !*

J'ai ouvert les yeux. Quand je me suis aperçue dans le miroir, j'ai failli crier ! Cette coupe sagement arrondie, c'était l'horreur absolue ! La clochette de la porte d'entrée a carillonné. Maman était de retour.

– Bien, une coupe à la page, ça fait net pour la rentrée, a commenté brièvement cette traîtresse en sortant son portefeuille.

Deux minutes plus tard, nous étions dans la rue.

– Allez, Biquette, ne fais pas cette tête-là, a dit maman.

Mais moi, je ne voulais plus lui adresser la parole.

En arrivant à la maison, j'ai filé dans ma chambre. Je me suis jetée sur mon lit et j'ai pleuré, pleuré. Avec mes cheveux qui poussent à la vitesse supersonique d'un millimètre tous les six mois, ça allait me prendre une éternité pour les ravoir aux épaules! Grand-Cœur m'a rejointe. De sa langue râpeuse, il a léché les torrents d'eau salée qui coulaient sur mes joues. Au bout d'un moment, je suis allée me regarder dans le miroir de la salle de bain. Avec cette coupe et mes yeux bouffis par les larmes, je n'avais jamais été aussi laide!

Quand je suis revenue dans ma chambre, Caroline était là. Elle s'est écriée :

– Mais c'est affreux, cette coiffure! Tu ressembles à un bébé lala!

Je me suis à nouveau précipitée sur mon lit. Plongeant ma tête dans l'oreiller, j'ai sangloté de plus belle.

– Ma pauvre! a compati ma sœur.

Après un moment de silence, elle a ajouté :

– Pleure plus, je peux t'arranger ça.

– Ah oui, et comment? ai-je articulé entre deux hoquets.

– Sur la table de chevet de maman, il y a un magazine avec des coiffures mode pour la rentrée.

– Mais ce sont des coiffures de dames! ai-je rétorqué.

– Et alors? C'est toujours mieux qu'une coupe hamburger, a déclaré Caro sans ménagement.

– C'est quoi, une coupe hamburger?

– C'est une coupe de p'tit gars. La moitié des garçons de ma classe ont une coupe hamburger. La tienne, elle est juste un peu plus longue.

Ma sœur, elle a l'art de retourner le couteau dans la plaie. Mais au moins, on sait toujours ce qu'elle pense.

– Et qui me couperait les cheveux? lui ai-je demandé en reniflant.

– Moi.

– Toi?!

– Ben oui, moi! a-t-elle répondu d'un ton pas très patient. Tu as vu mes Barbie? Elles sont toujours bien coiffées. Pour apprendre, je me suis exercée sur la ciboulette du jardin.

Et sans me laisser le temps d'ajouter quoi que ce soit, Caroline est sortie en trombe de notre chambre. Trois secondes plus tard, elle était de retour.

– Et voilà! a-t-elle dit en brandissant le magazine si près de mes yeux que j'en louchais presque.

À la page 72, le titre annonçait:

Pour la rentrée, changez de tête!

– Cette coiffure-ci n'est pas mal, a décrété ma sœur.

– Oui, mais ça prend des boucles, et… regarde mes cheveux… Ils sont raides comme des spaghettis!

Elle a levé les yeux au ciel et a continué de feuilleter le magazine.

– Celle-là est cool! me suis-je exclamée devant une adolescente avec une coiffure aux mèches courtes et légèrement ébouriffées.

Caro est allée chercher les ciseaux de cuisine et deux

serviettes de toilette. Moi, j'ai caressé mon cher Grand-Cœur qui, rassuré, ronronnait de satisfaction.

Quand ma sœur est revenue dans la chambre, j'ai relevé la tête. L'objectif de l'appareil photo numérique de nos parents était braqué sur moi !

– NOOON ! ai-je crié. Tu es folle ou quoi ? !

– Ne t'énerve pas, a dit Caro. Je vais t'expliquer. Je voulais simplement prendre deux photos. La première avec ta vilaine coiffure et la deuxième, après, une fois que j'aurai arrangé tes cheveux. On voit souvent ça à la télé. Le contraste entre *AVANT* et *APRÈS* est toujours drôle !

– Je refuse ! ai-je déclaré net en jetant un regard noir à ma sœur. Il n'est pas question que je me laisse photographier dans cet état ! Et je t'assure que ce qui m'arrive n'a rien de drôle !

Sans un mot, Caroline a déposé l'appareil photo sur mon bureau. Puis, elle a placé une serviette sur mon lit et m'a demandé de m'asseoir dessus. L'autre, elle l'a attachée autour de mon cou.

– Coupe droit, surtout ! lui ai-je demandé.

– Même si je dévie un peu, c'est pas bien grave avec ce style de coiffure.

Après tout, ça ne pouvait pas être pire que ce que m'avait fait monsieur Tony. Tout plutôt que de débarquer lundi à l'école avec cette tête-là !

– Va te regarder dans le miroir, a fait Caroline au bout de quelques minutes. Qu'est-ce que tu en penses ?

Sans être horrible, il faut avouer que ça aurait pu être mieux ! Le résultat ne ressemblait pas du tout à la photo du magazine… Mais pour ne pas faire de peine à ma sœur, je lui ai dit, d'une petite voix :

– Elle est pas mal du tout, ta coupe, Caro. Merci, c'est vraiment gentil.

– Bon, je peux te photographier maintenant ? a-t-elle demandé.

– Pfff…

– Allez, Alice ! S'il te plaît !

– Bon, d'accord.

Je me suis forcée à sourire même si le cœur n'y était vraiment pas. Tout à coup, je me suis demandée ce que maman allait dire. Justement, la voilà qui arrivait…

– Tout va bien ici ? a-t-elle demandé.

Puis, ses yeux se sont agrandis de stupéfaction et elle s'est exclamée :

– C'est quoi, tous ces cheveux sur cette serviette ? Caroline Aubry, qu'est-ce que tu as fait ? Et toi, Alice, comment as-tu pu laisser ta sœur commettre une bêtise pareille ? Tu as perdu la tête ?

– Caroline m'a consolée ! me suis-je écriée. De toute façon, sa coiffure est bien moins moche que celle de monsieur Tony ! Je n'irai plus jamais de ma vie chez lui !

J'ai recommencé à sangloter.

– Ça suffit ! a coupé maman d'un ton sec. Et moi qui étais pressée… Viens, Alice. Je t'emmène chez Cindy pour tenter de réparer les dégâts ! Oh, déjà 16 h 48 ! J'espère qu'elle sera encore là !

La jolie coiffeuse de maman, qui a des cheveux blond platine, plein d'anneaux à l'oreille gauche et un piercing dans le nombril, s'apprêtait à partir quand on s'est stationnées devant son salon. J'ai bondi hors de l'auto. Il faut croire que j'étais un cas d'urgence, car, même s'il était 17 heures passées, Cindy a accepté de me coiffer. Elle n'a même pas ri en me voyant. Au contraire, elle a affirmé que ma sœur avait un réel talent de coiffeuse. Elle m'a fait une coupe courte mais très mode, avec du gel. Une vraie coiffure d'ado! Pour une fois, cher journal, mes cheveux ne sont plus raplapla! Pourvu que ça dure. Mais ça, c'est une autre histoire…

Ma sœur était en admiration devant moi.
– Oh! Alice, tu es tellement belle comme ça! s'est-elle exclamée. Je peux prendre une autre photo?
Cette fois, je lui ai fait mon plus beau sourire. Puis, papa l'a appelée:
– Caroline, tu viens m'aider à préparer la pâte à crêpes?

Moi, j'ai pris l'appareil pour regarder les photos et je me suis assise sur mon lit. Horreur absolue! Avant ce cliché-là et le précédent, j'en ai découvert un autre de moi, en gros plan, avec la coupe hamburger de monsieur Tony! Incrédule, je fixais, sur le petit écran de l'appareil photo, mon visage cramoisi, mes yeux exorbités et ma bouche déformée qui braillait: «NOOON!» Caro allait m'entendre! Au moment où je me levais pour aller lui dire ce que j'en pensais, moi, des traîtresses qui photographient leur sœur sans leur permission, je n'ai pu m'empêcher de pouffer de rire. Il faut avouer que, sur cette photo, j'avais vraiment une tête pas possible ! Et j'ai réalisé que Caroline, surprise par ma réaction virulente, avait peut-être tout simplement sursauté et appuyé sur le bouton sans s'en apercevoir. Alors, au lieu de courir à la cuisine pour la chicaner, je me suis plutôt précipitée dans le bureau de mes parents. Et j'ai imprimé les trois photos ainsi qu'une autre que maman avait prise de moi le jour de la rentrée.

Je m'apprête donc à les coller ici, dans mon cahier rose. Ainsi, grâce à ma sœur, j'aurai des souvenirs de cet après-midi mémorable !

Lundi 1ᵉʳ septembre

Quand ma meilleure amie m'a retrouvée sous l'érable, elle est restée bouche bée :

– Wow ! Alice, tes cheveux sont tellement cool !

– Merci, Marie-Ève ! J'avoue que je suis très contente du résultat final. Mais je t'assure que ça n'a pas été sans peine, ai-je dit en extirpant mon cahier rose de mon sac d'école. Regarde !

Je l'ai ouvert à la page des photos. Devant son air ahuri, je lui ai raconté mes mésaventures capillaires.

– Oh là là ! Tu es trop drôle avec la coupe de ce coiffeur ! s'est-elle exclamée. Je comprends que tu étais désespérée ! Et ta tête après que ta sœur a essayé d'arranger ta coupe…. C'est si comique, ça aussi ! Hi hi hi hi hi !

Hi hi hi hi hi ! À mon tour, j'ai été prise d'un terrible fou rire. Chaque fois qu'on regardait les photos, ça repartait de plus belle ! HA HA HA ! HOU HOU HOU !
Marie-Ève riait tellement qu'elle en pleurait ! Et moi qui avais soudain une urgente envie de pipi, je me tortillais comme un ver en hoquetant.

– Oh ! Alice la p'tite maigrichonne s'est fait prendre en photo ! a lancé une voix moqueuse derrière nous. Elle se prend pour une vedette !

Gigi Foster ! GRRR ! J'ai fait volte-face.

– D'abord, je ne suis ni petite ni maigrichonne, ai-je riposté, furieuse. Je suis normale. Et puis, ces photos, ce n'était pas à toi que je les montrais! Alors, arrête de nous espionner!

L'air satisfait comme chaque fois qu'elle nous embête, Gigi Foster s'est éloignée en sifflotant.

– Quelle peste! ai-je lâché en serrant les poings.

Soudain, j'ai réalisé le danger que je courais en apportant mon journal intime à l'école. Et si je l'égarais… Et si un prof ou le directeur le trouvait… Et si Gigi Foster s'en emparait… Je me suis juré d'y faire hyper attention toute la journée. Et dorénavant, de le laisser toujours en sécurité dans ma chambre. Car ce cahier contient des propos à haut risque non seulement sur G. F., mais aussi sur madame Fattal…

Un attroupement s'est formé autour de nous. Toutes mes copines m'ont fait des compliments sur mes cheveux. Karim aussi d'ailleurs. Puis, changeant de sujet, Marie-Ève a déclaré:

– Alice, je n'ai pas oublié ton affiche des Tonic Boys.

– Ah, super! Je la mettrai dans ma chambre. Car pour le mur de la classe, j'ai pensé à quelqu'un d'autre comme héros.

– Oh, et c'est qui? a-t-elle demandé.

– Alex Aubry, mon oncle.

– Ton oncle?!

Là, Marie-Ève semblait franchement déçue. Elle a repris:

– Comment ça, ton oncle?

– Son métier est passionnant. Il s'intéresse à tous les peuples de la terre et les fait connaître grâce à ses belles photos.

– Mais il n'est pas célèbre…

– Pas autant que les Tonic Boys, bien sûr. Mais un peu quand même, ai-je expliqué. Ses photos sont publiées dans plusieurs magazines. Et le mois dernier, son reportage sur la Turquie a paru dans le *National Geographic.*

Il faut dire que ce n'est pas du tout le genre de revues auxquelles la mère de Marie-Ève est abonnée pour la salle d'attente de son salon de beauté…

– Et tu as une photo de ton « héros » ? a demandé Marie-Ève, d'un air pas très convaincu.

– Oui, regarde !

J'ai sorti une grande photo où mon oncle, assis par terre et entouré d'une ribambelle d'enfants, compte sur ses doigts. J'ai expliqué à mon amie que les enfants lui apprenaient à compter en vietnamien. Mon oncle, il sait compter jusqu'à 10 dans plein de langues différentes !

En classe, on a enlevé ce qui couvrait le mur du fond : la liste des mots qui se terminent en *ou* et prennent un *x* au pluriel, une affiche sur l'importance de bien se laver les mains et une autre sur la transformation d'un têtard en grenouille. On est allés porter ces vieilleries dans le bac de recyclage. Et monsieur Gauthier a frotté énergiquement le mur.

Gigi Foster a été la première à coller son affiche. On y voyait un grand joueur de basketball qui marquait un but.

– LeBron James ! s'est écrié Jonathan, si fort que j'ai sursauté. COOL !

Et il s'est mis à dribbler un ballon imaginaire.

– Je suis d'accord avec vous, les amis, a renchéri notre enseignant. LeBron James, c'est le meilleur! Avec Magic Johnson et Michael Jordan, bien sûr, mais ils appartiennent à la génération précédente.

Il est peut-être super connu, le héros de Gigi Foster, mais moi je n'en ai jamais entendu parler. Il faut dire que pour lancer ou attraper un ballon, cher journal, je suis nulle! Et ce n'est certainement pas moi qui regarderais un match de basket à la télé!

En plus du poster géant que Marie-Ève a apporté, il y en a trois autres de notre groupe préféré. Pas étonnant: le beau Tom Thomas, le chanteur de *Tonic Boys,* est le chéri des filles de la classe!

Monsieur Gauthier a déclaré que le mur était beaucoup plus chouette comme ça. Puis, à son tour, il a déroulé une affiche.
– Vous le connaissez? a-t-il demandé devant l'image de l'homme qui brandissait une baguette d'où jaillissait une pluie d'étincelles multicolores.
– C'est David Copperfield! a déclaré Africa. J'ai vu son spectacle de magie à la télévision!
– Je rêve de suivre un stage avec lui, nous a confié notre enseignant. Et maintenant, retournons à notre place. Je vais voir si vous êtes des champions des multiplications.

Oups! Heureusement qu'il ne m'a pas interrogée… Et comme je n'étais pas la seule à avoir oublié mes tables pendant les vacances, il nous a demandé de les revoir pour mercredi.

Mercredi 3 septembre

Ce matin, notre enseignant a sorti un nom du sac rouge.

– Gigi, tu nous récites la table de 7, s'il te plaît?

Jusqu'à 7 x 3, ça a été, mais après, Gigi Foster a commencé à dire n'importe quoi. Alors monsieur Gauthier a de nouveau glissé son énorme main dans le sac.

– Alice, tu la connais, toi, la table de 7?

Je suis devenue rouge comme une tomate. D'accord, je les ai revues hier, mes tables. Mais si j'avais à nouveau tout oublié? J'ai commencé et, par chance, les réponses coulaient toutes seules, comme une rivière de chiffres.

– Bravo, Alice! s'est exclamé monsieur Gauthier. Tu es notre championne des tables! Puisque tu es la première à ne faire aucune faute, tu seras aussi la première à recevoir un galet.

Il a fouillé dans son sac. Puis, il s'est avancé vers moi avec un grand sourire et a ouvert sa main. Un caillou arrondi et lisse s'y trouvait. Ce qui était incroyable, c'est qu'il était peint en turquoise! Comment mon enseignant avait-il deviné que c'était ma couleur préférée? Il faut dire qu'il affirme être un magicien. Émerveillée, je suis allée déposer le galet qui brillait comme s'il était verni dans le coffre aux trésors.

Si j'ai eu la chance d'inaugurer ce coffret doré, c'est bien parce que monsieur Gauthier m'a interrogée *avant* et non *après* Bohumil. Car lorsqu'il lui a demandé la table de 9, notre génie en maths a débité les réponses à toute allure. Et bien entendu, tout était exact. Ses tables, je suis sûre qu'il les connaît par cœur depuis la maternelle !

Le mercredi après-midi, on a de l'éducation physique. Notre prof, Kim Duval, est super cool. L'an dernier, ses cheveux étaient vert fluo. Cette année, elle a deux petites tresses bleu électrique. Son seul défaut : elle adore les jeux de ballon...
– Pour bien commencer l'année, on va jouer au basketball !
a-t-elle d'ailleurs annoncé.
« Horreur absolue, ai-je pensé. Ça ne va pas recommencer... »
En effet, pour moi, les parties de basketball, de volleyball ou de ballon chasseur sont un véritable cauchemar ! Je me sens comme un pauvre petit lapin sans défense le jour de l'ouverture de la chasse. Dès qu'une balle arrive dans ma direction, je l'évite dans l'espoir qu'un autre de mon équipe, plus doué que moi, parviendra à l'attraper.
Mais cette fois, ça a été pire que jamais. J'ai eu le malheur de me retrouver sur la trajectoire du ballon lancé par Gigi Foster. Je ne me suis pas baissée assez vite. Résultat : ce boulet de canon m'a frappée en plein front ! Le choc a été si violent que je suis tombée, à moitié sonnée. Madame Duval m'a aidée à me relever. Comme j'étais étourdie, elle m'a fait asseoir sur le banc.
– Tu as une fameuse bosse, a-t-elle constaté. Je vais chercher de la glace.
Karim a dit à Gigi Foster :
– Tu pourrais quand même t'excuser !

– Elle n'avait qu'à attraper la balle ! a répondu cette idiote en haussant les épaules.

– On sait bien, elle, elle ne rate jamais un ballon ! ai-je ronchonné tout bas.

Madame Duval est revenue avec un sac de glace enveloppé dans une serviette.

– Tiens-le sur ton front, Alice. Bon, ça va un peu mieux ?

– Pas vraiment, ai-je répondu.

– Tu vas te reposer sur le banc.

Je me suis ennuyée à mourir en regardant les autres jouer… Mais c'était quand même mieux que de me retrouver au milieu de la mêlée à risquer ma vie !

Jeudi 4 septembre

Aujourd'hui, il faisait encore très beau, comme en plein été. Cependant, quelques feuilles de notre érable ont commencé à changer de couleur. Je guettais avec impatience l'arrivée de ma meilleure amie. Dès que je l'ai vue, je me suis précipitée à sa rencontre.

– Coucou Marie-Ève ! ai-je lancé tout excitée. On n'avait pas de devoirs hier soir. Alors, j'ai regardé un concert des Tonic Boys à la télé. Je t'ai téléphoné pour te prévenir, mais il n'y avait personne.

– Mes parents se sont disputés, a fait mon amie en soupirant. Maman m'a emmenée manger à la pizzeria. Au fait, Alice, tu dis que tu n'avais rien à faire. Tu avais déjà fini de recopier les cinq pages du code de vie pour madame Fattal ?

Horreur absolue! La punition de l'enseignante d'anglais m'était complètement sortie de la tête!

– Ne me dis pas que tu as oublié? s'est inquiétée Marie-Ève.

– Ben oui! ai-je avoué.

– Oh, non, Alice, c'est pas vrai! Déjà que madame Fattal ne t'apprécie pas beaucoup... Susceptible comme elle est au sujet du code de vie, elle est capable de te coller un zéro! Écoute, il reste vingt minutes avant de monter en classe. Si tu te dépêches, tu peux peut-être y arriver à temps.

Ma meilleure amie avait raison: je n'avais pas une seconde à perdre. J'ai sorti de mon sac le cahier de brouillon, l'agenda et un crayon. Assise contre le tronc de l'arbre, j'ai posé mon cahier sur mes genoux. J'ai écrit: *Code de vie de l'école des Écoles.* Oh non! Ça commençait mal! J'ai arraché la première page et j'ai recommencé: *Code de vie de l'école des Érables. Article 1: L'élève doit en tout temps...*

Gigi Foster nous tournait autour. Pas évident de me concentrer avec elle dans les parages! Zut! J'avais écrit *Article 3* au lieu d'*Article 4* alors que j'avais déjà recopié l'article 3!

– Je n'y arriverai jamais, me suis-je lamentée. J'abandonne!

– Pas question! a répliqué Marie-Ève.

J'en étais à l'article 9 quand la cloche a sonné. Mon amie m'a gentiment encouragée:

– C'est déjà mieux que rien, Alice!

Même si la leçon de notre enseignant sur les oiseaux migrateurs était passionnante, j'avais du mal à suivre ce qu'il disait. J'étais plutôt obnubilée par une idée fixe : pourvu que madame Fattal arrive en retard. Ça me donnerait le temps de continuer à recopier ce satané code. Mais à l'instant où monsieur Gauthier s'apprêtait à quitter la classe, TIC-TIC-TIC-TIC-TIC, le cliquetis des talons de notre enseignante d'anglais a résonné dans le couloir... Zut, c'était raté... En entrant, madame Fattal a dit :

– Ouvrez votre livre à la première leçon. Marie-Ève, veux-tu nous lire les trois premiers paragraphes de l'histoire, s'il te plaît ?

– Oui, madame.

Et elle a commencé à lire.

– *Good,* a commenté brièvement madame Fattal quand mon amie a eu fini. Éléonore, tu continues.

Deux minutes plus tard, notre prof s'est exclamée d'un air ravi :

– *Very good Éléonore ! Your accent is perfect !* Ça mérite 10 sur 10 !

La nouvelle élève s'est redressée, triomphante. Moi, j'ai pensé : « Bienvenue dans le club des chouchous ! »

À mesure que l'heure d'anglais avançait, je me disais que, par chance, madame Fattal avait peut-être oublié ma punition. Ou bien allait-elle me la réclamer à la fin du cours ?

Quand la cloche de la récréation a sonné, elle a ouvert son sac pour y ranger ses affaires. Moi, je me suis faufilée discrètement vers la sortie. C'est alors que Gigi Foster m'a demandé à voix haute :

– Et le code de vie, Alice, tu l'as déjà remis à madame Fattal ?

Oh, non ! C'est pas vrai... Pourvu que notre enseignante n'ait pas entendu. Mais elle s'est aussitôt tournée vers moi.

– Gigi a raison, a-t-elle dit. Apporte-moi tout de suite ta punition, Alice !

La mort dans l'âme, je suis allée chercher mon cahier de brouillon. Au moment où j'allais le tendre à madame Fattal, un joyeux chœur s'est mis à chanter à l'entrée de la classe :

– Bonne fête, Pétula, bonne fête, Pétula...

J'ai sursauté. Le directeur, monsieur Gauthier et toutes les enseignantes de l'école ont envahi notre classe. Monsieur Rivet tenait deux bouteilles de jus de fruits pétillant dans ses mains. Monsieur Gauthier portait, lui, un plateau plein de verres, et madame Robinson, un gâteau garni d'un million de bougies allumées.

– Allez-y, Pétula, soufflez ! a-t-elle demandé à sa collègue.

Moi, bien sûr, j'en ai profité pour filer.

Les enseignants étaient arrivés juste à temps ! Une seconde plus tard, madame Fattal aurait saisi mon cahier... Et comme elle ne badine pas avec le code de l'école, elle m'aurait sans doute infligé une punition plus sévère. J'étais soulagée mais aussi furieuse. Gigi Foster m'avait dénoncée ! Et ça, c'est vraiment dégoûtant !

Plus tard dans la journée, alors qu'on sortait de la cafétéria, j'ai annoncé sans enthousiasme à Marie-Ève :
– Bon, je vais continuer à recopier le code de vie...

J'avais une demi-heure devant moi.
– J'ai une idée ! s'est-elle exclamée. Je te dicte la suite. Comme ça, tu gagneras du temps.

Bref, grâce à ma meilleure amie, j'ai terminé juste avant que la cloche sonne. Ma tête était pleine de *Il est interdit de...* J'ai dû me retenir pour ne pas faire plusieurs fois le tour de la cour au pas de course en criant :

IL EST INTERDIT D'INTERDIRE !

Dans l'escalier, je me suis trouvée nez à nez avec la prof d'anglais qui descendait.
– Ah, Alice Aubry ! Vas-tu enfin me remettre ta punition ?

Je lui ai tendu mon cahier de brouillon comme si de rien n'était. Elle l'a feuilleté.
– Tu aurais pu faire un effort pour écrire plus proprement ! a-t-elle dit sèchement en me rendant mon cahier.

Pfff... elle n'est jamais contente, celle-là ! Mais, quand même, je l'ai échappé belle... Je serais devenue complètement dingue si j'avais dû tout recommencer !

Dimanche 7 septembre

C'est aujourd'hui que Zachary, notre bébé chéri, doit naître. Enfin, en théorie. Car lui ne semble pas au courant. Toute la journée, Caroline a attendu en vain le départ pour l'hôpital.

– Tu es sûre que tu n'as pas de contractions ? a-t-elle demandé à maman.

– Absolument certaine, a répondu cette dernière.

Après le souper, maman, pour se reposer, s'est étendue sur le sofa et a fermé les yeux. Moi, je me suis assise à côté d'elle et je lui ai caressé doucement le front et les cheveux. Trente secondes plus tard, Caroline a fait irruption dans le salon. Elle s'est installée à genoux devant nous et a fait :

– Toc toc toc ! en cognant sur le ventre de maman avec son index replié, comme si c'était une porte. Dis, tu es là, Zachary ?

Puis, avec un air réjoui, elle a déclaré à maman :

– Ça y est ! J'ai senti une contraction !

– Mais non, Ciboulette, c'est tout simplement ton petit frère qui gigote parce qu'il est content de t'entendre.

Caroline s'est énervée.

– J'en ai marre de l'attendre, ce bébé ! Tu nous avais dit qu'il arriverait le 7 septembre ! a-t-elle reproché à la pauvre maman.

– Autour du 7 septembre, a rectifié maman, d'une voix lasse. On ne peut jamais être sûr de la date.

J'ai fait une proposition à ma sœur, histoire de lui changer les idées :

– Écoute, Caro, comme maman n'est pas en train d'accoucher, pourquoi on n'en profiterait pas pour regarder un film tous les quatre, bien tranquilles ?

– D'accord, a-t-elle dit. Je vais chercher le DVD des *101 dalmatiens*.

J'aurais de loin préféré le film d'Hannah Montana. Ça fait très longtemps que je ne l'ai pas vu. Mais au moins, ce n'est pas *Babe* ! D'accord, il n'y a pas plus mignon que ce petit cochon. Je l'adorais moi aussi, ce film, au début. Mais comme, avec Caro, on l'a déjà vu un million de fois, je n'en peux plus…

On s'est installés dans le grand lit des parents. Papa a inséré le DVD dans le lecteur. Un peu plus tard, on en était au passage où Cruella, l'atroce amie d'Anita, traitait d'affreux petits rats les bébés dalmatiens qui n'avaient pas encore de taches sur leur pelage blanc. J'ai soudain senti un coup qui provenait du ventre de maman. C'était Zachary qui faisait son jogging !

– Salut, petit frère ! On va se voir bientôt !

Je lui ai fait un câlin à travers le ventre de maman. Il est venu se blottir sous ma main. Papa a arrêté le film et en a profité pour lui parler, lui aussi :

– Bonne nuit, fiston ! Dis, je t'attends avec impatience, tu sais ! Tu vas renforcer les troupes masculines de la famille Aubry. Parce qu'avec toutes ces femmes ici, il y a des jours où je me sens vraiment en minorité! Tu verras, on va former une belle équipe tous les deux.

Maman a ri de bon cœur. Caro et moi, on s'est jetées sur papa et on l'a chatouillé «à mort»! En hurlant de rire, il a demandé grâce. Maman aussi d'ailleurs, parce qu'elle avait peur de recevoir un coup de coude ou de genou dans le ventre.

Mardi 9 septembre

Aujourd'hui, maman est venue nous chercher à pied à l'école. La prof d'anglais est passée devant nous. Maman l'a saluée:

– Bonjour, madame Fattal. Vous avez passé un bel été?

– Non, vraiment pas, a répondu madame Fattal. J'ai été opérée au genou.

Elle a légèrement soulevé sa jupe pour montrer son genou à ma mère. Il était traversé par une énorme cicatrice rouge et boursouflée.

– Mais quelle odeur! s'est exclamée maman.

J'étais stupéfaite. Offusquée, madame Fattal a laissé retomber sa jupe.

– Voyons, madame!

– Je suis désolée, s'est excusée maman d'un air penaud. J'étais distraite. Je voulais plutôt dire: «Quelle horreur!»

HORREUR ABSOLUE! Ma mère, au lieu de rattraper sa gaffe, s'enfonçait encore davantage!

Si les yeux de madame Fattal avaient été des mitraillettes, Astrid Vermeulen serait tombée raide morte, trouée de partout. Très embêtée, maman a tenté de s'expliquer :

– J'ai dit : « Quelle horreur ! », madame Fattal, parce que je compatis avec vous. Cette opération a dû être extrêmement douloureuse ! A-t-elle définitivement réglé votre problème de genou ? Ou bien vous fait-il encore souffrir ?

Mais l'enseignante ne l'écoutait plus. Elle s'est éloignée en boitant.

– Eh bien toi, on ne peut pas dire que tu m'aides ! ai-je reproché à maman. Déjà que madame Fattal ne m'aime pas...

Mais ma mère avait un air si piteux que j'ai eu pitié d'elle. Je n'ai pas insisté. De toute façon, madame Fattal est détestable. C'est bien fait pour elle ! Et puis, maman n'a pas fait exprès de la vexer. Son ventre énorme la fatigue beaucoup, surtout avec les grosses chaleurs de ces derniers jours. « Allez, Zachary, il est vraiment temps que tu naisses ! »

Jeudi 11 septembre

En arrivant en classe, madame Fattal a buté contre le coffre aux trésors, qui a résonné d'un écho métallique.

– Encore cette stupide boîte ! s'est-elle exclamée en massant son pied. Elle est toujours dans le chemin !

Aïe, ça commençait mal... De mon côté, j'espérais de tout cœur qu'elle ne se souviendrait pas de ce que maman avait dit à propos de son genou. J'espérais même,

40

carrément, qu'elle ne se souviendrait pas que madame Vermeulen était ma mère…

Madame Fattal a annoncé :
– Voyons si vous avez bien étudié votre leçon.
Je me suis recroquevillée sur ma chaise.
– Alice Aubry, on va commencer par toi ! a-t-elle déclaré en plongeant ses yeux noirs dans les miens.
J'ai senti mon sang se glacer dans mes veines. Pour les deux premières questions, je m'en suis assez bien tirée. Mais par la suite, ça s'est gâté.
Madame Fattal s'est écriée :
– Avec un 2 sur 10, tu commences plutôt mal ton année, ma fille ! Si tu n'étudies pas, attends-toi à un échec retentissant !
J'ai protesté faiblement :
– Mais j'ai étudié, mad…
– Taratata ! m'a-t-elle interrompue. Ne raconte pas de mensonges ! Quant à ton accent, on ne peut pas dire qu'il se soit amélioré pendant les vacances…
Patrick a pouffé de rire. L'enseignante a fait semblant de ne pas l'entendre. Elle a pris un air satisfait. On aurait dit qu'elle savourait sa vengeance. C'est trop injuste !

– Quelle peste, celle-là ! a chuchoté Marie-Ève alors qu'on sortait de la classe. Elle porte bien son nom. Elle est vraiment fatale !
– Je dirais même plus : c'est une véritable Cruella ! ai-je murmuré à son oreille.

– Cruella ! Alice, tu es géniale ! Ce surnom lui va à merveille !

– Chuuut, pas si fort ! ai-je murmuré en posant un doigt sur mes lèvres.

En effet, Gigi Foster se trouvait dans les parages...

Vendredi 12 septembre

Toujours pas de Zachary... Cet après-midi, maman avait rendez-vous chez le médecin. Si son fils ne se décide pas à venir au monde, elle devra se présenter à l'hôpital mardi prochain à 8 heures du matin. On provoquera l'accouchement avec un médicament. Oh, comme j'aimerais déjà être ce jour-là ! Caroline et moi, on accompagnera nos parents à l'hôpital. On n'assistera pas à la naissance. Maman n'y tient pas. Moi non plus, d'ailleurs ! Mais, dès que notre petit frère aura pointé le bout de son nez, papa viendra nous chercher dans le petit salon au bout du couloir.

Samedi 13 septembre

Ce soir, en sortant de la salle de bain, j'ai trouvé ma sœur en pyjama à plat ventre sur son lit. Elle semblait absorbée par sa lecture. Et ce qu'elle lisait avec tant d'intérêt, c'était... mon cahier rose ! Horreur absolue ! Je le lui ai arraché des mains.

– Aïe, tu m'as griffée ! a crié Caroline. Tu es folle ou quoi ?

– Je ne l'ai pas fait exprès, mais de toute façon, tu l'as bien mérité ! ai-je rétorqué. Comment oses-tu lire mon journal intime ? Tu n'es pas gênée ! Est-ce que je fouille dans ta table de chevet, moi ? J'ai été obligée de t'accepter dans ma chambre, mais au moins, je m'attendais à ce que tu respectes mes affaires !

– Je viens à peine de commencer à lire, a expliqué ma sœur. Je voulais simplement savoir ce que tu écris dans ce cahier.

– Ça ne te regarde pas ! Oh ! À cause de toi, la couverture est pliée !

– C'est pas ma faute ! a protesté Caro. Fallait pas tirer dessus comme une sauvage. Si tu me l'avais demandé, je te l'aurais rendu, ton cahier.

– Écoute-moi bien ! Si tu y touches encore une seule fois, je ne te ferai plus jamais confiance !

Ma sœur m'a jeté un regard furieux.

– Ton bête journal, pfff, si tu crois que ça m'intéresse ! a-t-elle ronchonné en levant les yeux au ciel.

Elle a fourré ses cochons en peluche dans son lit. Puis, elle les a rejoints et s'est tournée vers le mur. Que mademoiselle boude ; ça m'est égal. Au moins, les choses sont claires !

Dimanche 14 septembre

Il m'est venu une idée. Je vais tester la loyauté de ma sœur. Je laisserai traîner mon journal intime sur ma table de chevet. Je viens de saupoudrer sa couverture d'une très fine couche de farine. C'est quasiment invisible sauf si on examine le cahier de très près. Je n'y toucherai donc pas pendant plusieurs jours. En l'inspectant chaque soir, je saurais si Caroline Aubry est digne de confiance. J'en aurai le cœur net. Si je découvre la moindre trace de doigts sur la couverture, cela signifiera que ma sœur m'a trahie !

Lundi 15 septembre

Après le souper, j'ai vérifié si la fine couche de farine était intacte. Pas du tout ! Les traces de doigts étaient bien visibles ! Je la tenais, la coupable ! J'ai crié :

– CAROLIIINE !

– Oui ? a-t-elle répondu en accourant.

J'ai brandi mon cahier.

– Comme ça, tu avais promis de ne plus jamais y toucher ? Menteuse ! Tu as lu mon journal intime en cachette !

Ma sœur a eu l'air surprise. Puis, elle s'est transformée en furie.

– Tu m'énerves à la fin ! Quand je promets, je promets. Je n'y ai pas retouché, à ton fichu cahier ! D'ailleurs, si ça continue, je vais le jeter à la poubelle !

– Si tu oses faire une chose pareille, moi, ce sont tes stupides cochons que je balancerai aux vidanges ! ai-je hurlé, hors de moi.

Caro m'a donné un coup de pied dans le tibia.

– AÏE !

J'ai contre-attaqué en lui tirant les cheveux.

– OUILLE !

Maman, précédée de son énorme ventre, a fait irruption dans la chambre.

– Ça suffit, les filles !

– C'est Caroline ! ai-je protesté. Elle lit mon journal intime en cachette et en plus, elle m'a menti, la peste !

– Peste toi-même ! a riposté ma sœur. D'ailleurs, c'est toi qui mens !

Maman, l'air las, s'est assise sur mon lit. Elle m'a dit :

– Alice, avant d'accuser quelqu'un, il faut des preuves. En possèdes-tu ?

– Oui, j'ai la preuve qu'on a touché à mon cahier ! ai-je affirmé.

– Mais bien entendu, Alice, qu'on a touché à ton cahier ! s'est-elle exclamée. Sauf que ce n'est pas Caroline, c'est moi.

Je n'en revenais pas ! Si ma mère, en qui j'ai toujours eu la plus totale confiance, se mettait à lire mon journal intime, il ne me restait plus qu'à déménager !

– J'ai tout simplement soulevé ton cahier pour épousseter ta table de chevet, a-t-elle expliqué. Maintenant, tu vas présenter des excuses à ta sœur !

Après avoir marmonné un vague « 'cuse », je me suis installée à mon bureau pour rédiger ma composition de français. Le thème : « Votre famille idéale ». J'ai expliqué que si j'avais pu choisir, j'aurais été enfant unique ! Avec une chambre pour moi toute seule, comme mon amie Marie-Ève. Et des parents beaucoup plus cool! Cependant, à mesure que j'écrivais, ma colère retombait. Finalement, Caro ne m'a pas trompée. C'est ça l'important. Et puis, c'est bête de se disputer. Car non seulement je ne suis pas enfant unique, mais demain, en plus, on va avoir un petit frère.

Quand Caroline s'est couchée, je me suis assise sur son lit.

– VA-T'EN ! a-t-elle crié. Tu écrases Nouf-Nouf!

– Écoute, Caro, j'étais furieuse parce que je croyais que tu m'avais menti. Je te demande pardon.

Après un silence, ma sœur a déclaré:

– OK, je veux bien te pardonner. Mais je voudrais que tu me dises comment tu as su qu'on avait touché à ton cahier?

Je lui ai confié mon truc. Et finalement, on s'est réconciliées.

Mardi 16 septembre

Il est 13 h 08, et je ne suis pas à l'école. Papa et moi, on est rentrés de l'hôpital il y a une demi-heure. On vient de dévorer un restant de macaroni au fromage. Mon père a dit qu'il allait faire une sieste. Moi, je ferais bien la même chose parce que je suis très fatiguée. Mais mon lit attendra à ce soir. En effet, cher journal, je brûle d'envie de te raconter tout ce qui s'est passé.

Donc, ce matin, j'étais en train de rêver que je nageais parmi les dauphins dans une mer turquoise quand mon père m'a secoué l'épaule. Mon rêve s'est aussitôt fracassé en mille morceaux.

– Quoi, que, qu'est-ce qu'il y a? ai-je balbutié.

Le réveil indiquait 6 h 07.

Papa a dit:

– Zachary s'est enfin décidé à venir au monde! Maman s'habille. Dès que Caroline et toi serez prêtes, nous partirons à l'hôpital.

Comme c'était excitant! Je me suis levée d'un bond. Papa a tenté de réveiller ma sœur. Elle a marmonné des paroles incompréhensibles, puis s'est rendormie profondément au milieu de ses cochons en peluche. Papa n'a pas eu le cœur d'insister. Il a téléphoné à madame Baldini. Quelques minutes plus tard, elle était là.

– *Mamma mia,* c'est le grand jour! s'est-elle exclamée en m'embrassant.

Elle n'avait visiblement pas pris le temps de se coiffer, mais elle semblait très fière de participer à l'événement.

– Bonne chance! nous a-t-elle souhaité. J'irai conduire Caroline à l'école après un bon déjeuner.

On est sortis dans le petit matin gris et humide. Une vraie journée d'automne, aujourd'hui. J'ai frissonné. De froid mais aussi de fatigue. On a embarqué dans notre vieille auto. Sur le pas de la porte, madame Baldini nous faisait de grands signes de la main.

On roulait depuis cinq minutes quand maman a dit :
– Marc, les contractions s'accélèrent.

Papa a accéléré en conséquence. On s'est engagés sur l'autoroute Décarie. Quelques secondes plus tard, mon père a lâché un gros mot.
– Voyons, Marc ! s'est exclamée maman en le dévisageant d'un air choqué.

Il faut dire que ma mère est résolument allergique aux gros mots.
– Mais regarde, c'est bloqué ! a rétorqué papa, forcé de ralentir. Je n'aurais jamais pensé que l'heure de pointe débutait si tôt !

Bref, on s'est retrouvés dans un embouteillage monstre. En cinq minutes, on n'avait avancé que de quelques mètres. J'étais inquiète. À ce rythme, on allait mettre une éternité pour se rendre à l'hôpital… Une fine pluie a commencé à tomber. Papa demandait à tout bout de champ à maman :
– Ça va, Astrid, ça va ?

Elle avait beau répondre oui, moi qui me trouvais sur la banquette arrière, je comprenais à sa voix que ça n'allait pas fort.

Soudain, maman a déclaré :
– Je ressens l'envie de pousser.
– Pousser ! s'est exclamé papa, comme s'il venait d'apercevoir un extraterrestre sur le capot de la voiture. Mais, Astrid, ce n'est vraiment pas le moment !
– Si tu crois qu'on choisit son moment ! lui a-t-elle répondu. Je peux difficilement me retenir.

Mon père a demandé :

– Tu ne comptes tout de même pas accoucher dans l'auto ? Ton fils nous a fait poireauter pendant neuf jours. Il peut bien patienter encore un peu, le temps que nous arrivions à l'hôpital !

– Comme tu peux te l'imaginer, Marc, je préférerais de loin accoucher dans l'intimité d'une chambre de naissance plutôt qu'au beau milieu de la circulation ! a répliqué maman.

Bref, l'ambiance était hyper tendue. La pluie, plus forte, tambourinait à présent sur la carrosserie, et les essuie-glaces allaient et venaient dans un morne ronron. J'enviais Caroline d'avoir pu rester à la maison ! Papa s'est mis à klaxonner nerveusement. Ça ne servait à rien, bien entendu. On avançait toujours à une allure d'escargot. Le seul résultat de ce vacarme était que les conducteurs des autos voisines nous dévisageaient. C'était vraiment gênant… Le voisin de droite a même fait un signe malpoli, comme pour signifier qu'on était fous !

Quelqu'un a frappé à la vitre de papa qui s'est empressé d'ouvrir. C'était un policier.

Il a demandé :

– Pensez-vous vraiment, monsieur, que ça va changer quelque chose de klaxonner ? Vous le voyez comme moi : nous sommes coincés !

– C'est ma femme ! a répondu papa.

– Eh oui, votre femme arrivera en retard au bureau, a-t-il rétorqué. Ce sera aussi le cas des milliers de gens bloqués ici. Elle va devoir prendre son mal en patience, votre femme! Quant à vous, donnez-moi vos papiers, s'il vous plaît. Je vais aller rédiger la contravention dans mon véhicule.

– Je ne conduis pas ma femme au bureau mais à l'hôpital! s'est écrié papa. Elle est en train d'accoucher. Le bébé sera là d'une minute à l'autre. S'il vous plaît, aidez-nous!

Le policier s'est penché. D'un coup d'œil, il a évalué la situation.

– Excusez-moi, a-t-il dit. Je ne pouvais pas deviner. Ma voiture se trouve quelques mètres derrière la vôtre. Je vais actionner la sirène et les gyrophares. Vous allez me suivre. À quel hôpital vous rendez-vous?

– À l'Hôpital Sainte-Justine, a répondu papa.

Tout s'est précipité. Les autos se sont écartées tant bien que mal. La voiture de police nous a dépassés. Papa a réussi à se frayer un chemin derrière elle. En quelques minutes, nous étions à l'hôpital. Fiouuu! Sous le porche, un préposé a aidé maman à s'asseoir dans un fauteuil roulant. Puis, il a foncé avec elle à l'intérieur du bâtiment. Papa et moi, on est allés stationner l'auto. Ensuite, sous une pluie battante, on a couru tous les deux vers l'hôpital. On s'est engouffrés dans l'ascenseur.

Au 4e étage, une infirmière a demandé à mon père:

– Vous êtes le conjoint d'Astrid Vermeulen?

– Oui, a-t-il répondu.

– Suivez-moi.

Papa m'a lancé :

– Toi, tu restes ici ! Je viendrai te chercher.

Un peu étourdie, je me suis laissée tomber sur une des chaises alignées le long du corridor. Mon cœur battait à tout rompre. Oh, pourvu que tout se passe bien ! Mes cheveux dégoulinaient, et ma veste était trempée. Je l'ai enlevée. Heureusement, il faisait bien chaud ici.

Très vite, papa est réapparu.

– Viens, Alice ! Bébé est né !

Dans la chambre de naissance, maman, assise sur le lit, tenait le petit Zachary contre elle. Ils étaient recouverts d'une fine couverture. Impressionnée, je me suis approchée en silence. Mon petit frère était coiffé d'un bonnet. Ses yeux noirs étaient grands ouverts. Il dévorait maman du regard. Et elle, elle lui souriait et murmurait :

– Mon doux bébé, tu es là, enfin. Que je t'aime !

Zachary l'écoutait attentivement. On aurait dit qu'il était plein de sagesse. Je n'avais jamais rien vu de plus beau de ma vie. Je retenais mon souffle pour ne pas les déranger.

À un moment donné, je n'ai pu m'empêcher de m'exclamer :

– Oh, comme il est mignon !

C'est alors que papa m'a demandé :

– Et maintenant, Alice, devine la surprise.

Quoi, il y avait encore une surprise ? Comme si toutes ces émotions ne suffisaient pas…

Mon père a dit :

– Eh bien, regarde…

Et, tel un prestidigitateur, il a soulevé la couverture recouvrant le dernier héritier de la famille Aubry. Je me suis penchée vers Zachary. INCROYABLE ! Ce n'était pas un petit garçon ! L'échographiste s'était trompé !

Bon, je dois te laisser, cher journal. Papa vient d'arriver dans ma chambre. Il est déjà 15 h 20. On part chercher Caroline à l'école et on l'emmène à l'hôpital, pour aller lui montrer ce phénomène !

18 h 43 : Ma sœur, enfin, celle qui a sept ans, quatre mois et quelques jours, était d'une humeur massacrante.

– Vous auriez dû me réveiller ! nous a-t-elle dit sur un ton de reproche. J'aurais voulu venir, moi aussi, ce matin !

Quand je lui ai fait deviner la surprise, elle a retrouvé instantanément sa bonne humeur et s'est exclamée :

– Mamie nous a envoyé des chocolats de Belgique !

– Non, ai-je répondu. Cette surprise concerne le bébé.

L'air un peu déçue, Caroline a demandé :

– Ce sont des triplés ?

– Non ! s'est empressé de répondre papa.

– Des jumeaux alors ?

– Non plus.

– C'est un petit frère noir ?

Il faut dire que Jimmy, l'amoureux de Caro, est Haïtien.

– Mais alors, qu'est-ce qu'il a de spécial, ce bébé ? s'est énervée Caroline.

C'est ainsi que je lui ai annoncé que notre petit frère était en fait une petite sœur. Comme elle avait l'air incrédule, on a filé à l'hôpital pour lui prouver que c'était vrai.

Lorsqu'elle a vu le bébé dans les bras de maman, la seule chose que Caroline a trouvé à dire, c'est :
– Pourquoi elle a des plaques rouges sur le front ? C'est affreux !
– Ces rougeurs sont dues à sa naissance, a expliqué maman d'un ton rassurant. Dans quelques jours, elles auront disparu.

Je crois que Caro en veut au bébé de ne pas être le petit frère qu'elle attendait. Et quand papa a déclaré que notre nouvelle petite sœur me ressemblait, elle s'est carrément mise à bouder. Bon, cher journal, je te laisse encore une fois. Papa nous appelle pour souper. Ensuite, on se plongera dans le livre *D'Abel à Zoé : mille prénoms pour votre enfant*, dans lequel on avait choisi le nom de Zachary. Il nous faut trouver d'urgence un autre prénom !

Mercredi 17 septembre

Ce matin, avant de nous conduire à l'école, papa a fait un crochet par l'hôpital. La chambre de maman était plongée dans la pénombre. Caro a sauté sur son lit et l'a embrassée. Maman s'est réveillée.
– Ah, c'est vous, mes chéris, a-t-elle dit en clignant des yeux parce que papa ouvrait les rideaux.
Une infirmière est entrée. Avant de s'occuper de ma mère, elle s'est penchée sur le berceau où dormait Petite sœur.
– Quel superbe bébé ! s'est-elle extasiée.

Et elle a demandé :
– Comment l'avez-vous appelé ?
– Zachary ! a répondu fièrement maman.

Caroline, papa et moi, on l'a dévisagée.
– Ah, je pensais que dans la chambre 4657, c'était une petite fille, a dit l'infirmière, confuse. Excusez-moi, je me suis trompée.
– Mais pas du tout, c'est bien une petite fille, a répondu maman en se redressant brusquement. Et elle s'appelle… euh… euh…
– ZOÉ ! avons-nous crié en cœur pour lui venir en aide.

Chère, chère maman, elle est si distraite… Mais là, tout de même, elle exagère ! Car hier soir, on s'était mis d'accord sur un prénom de fille qui nous plaisait à tous les quatre. En effet, après la douche, Caro, papa et moi, on s'est assis en pyjama dans le lit de mes parents. Papa m'a tendu *D'Abel à Zoé : mille prénoms pour votre enfant*.
– Tu commences par la lettre *A* ? m'a-t-il demandé.

En saisissant le livre, le *Zoé* du titre m'a frappé.
– Zoé, c'est beau, vous ne trouvez pas ?
– Oh oui, c'est très mignon ! a décrété ma sœur. En plus, ça commence par un *Z*, comme Zachary. On va appeler notre bébé Zoé. Allez, papa, dis oui !
– Zoé, Zoé, a répété mécaniquement notre père en se frottant le menton, ce qui, chez lui, est signe d'intense réflexion. Ma foi, c'est un prénom rigolo et dynamique qui me plaît.

Caroline s'est mise à sauter sur le lit de mes parents en chantant à tue-tête :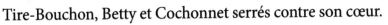
– Zoé, Zoé, Zoé !

Et ce qui devait arriver arriva. Ma sœur s'est tordu la cheville et, comme toujours lorsqu'elle est trop fatiguée et surexcitée, elle s'est mise à brailler. Papa est allé la border. Elle s'est endormie en reniflant, avec Nouf-Nouf, Naf-Naf, Nif-Nif, Tire-Bouchon, Betty et Cochonnet serrés contre son cœur.

J'ai téléphoné à maman. Oui, elle aussi aimait le prénom de Zoé. Il était donc adopté à l'unanimité !

Ah, une dernière nouvelle, cher journal. C'est demain que maman et Zoé rentrent de l'hôpital. J'ai bien hâte !

Jeudi 18 septembre

Et voilà, nous sommes cinq à la maison ! Ce soir, pendant que maman prenait sa douche et que papa faisait la vaisselle, j'ai bercé ma nouvelle petite sœur. Quoi qu'en dise Caroline, elle est jolie comme un cœur ! Dans mes bras, notre mini-princesse dormait aussi paisiblement que la Belle au bois dormant. J'ai murmuré :
– Zoé, je suis très heureuse que tu sois ma sœur. Je vais faire trois vœux pour que tu aies une belle vie. Le premier : échapper, comme Caroline, au gène de la distraction transmis par notre maman et dont j'ai malheureusement hérité.

Zoé a esquissé un sourire dans son sommeil. Émerveillée, j'ai continué mon doux murmure :

– Comme deuxième vœu, je te souhaite, plus tard, de ne jamais avoir Cruella comme prof d'anglais ! Enfin, mon dernier vœu : que tu ne sois pas, comme moi, atteinte d'insuffisance capillaire, mais qu'au contraire, tu aies de beaux cheveux !

Parce que, pour le moment, il faut avouer que c'est mal parti... La « chevelure » de Zoé se résume à un duvet ultra-doux formé par une trentaine de poils microscopiques !

– Tu sais, ai-je ajouté, demain midi, grand-maman Francine et grand-papa Benoît vont venir te voir. Ils resteront tout le week-end. Tu verras, ils sont vraiment super ! Et puis, il y a mamie Juliette, à Bruxelles, loin loin d'ici. Elle est formidable, elle aussi. Je ne sais pas quand on va la revoir, mais en attendant, on lui enverra des photos de toi.

Cette fois, mon bébé sœur, qui dormait toujours comme un petit ange, a fait un grand sourire qui a dévoilé ses petites gencives sans dents. Elle est trop mignonne ! Je sens qu'on va bien s'entendre, toutes les deux !

Caroline a surgi à nos côtés.

– Tu as encore ce bébé dans les bras ! s'est-elle exclamée. Pourquoi tu ne le mets pas dans son lit ?

Le charme était rompu. Réveillée en sursaut, Zoé s'est mise à pleurer.

– Oh ! ai-je soupiré, déçue. Quel dommage ! Elle dormait si bien. La prochaine fois, Caro, parle plus doucement !

– Pfff…, a-t-elle fait en levant les yeux au ciel.

J'avais beau essayer de consoler Zoé, ses pleurs s'étaient transformés en véritables hurlements.

D'en haut, maman a crié :

– Je suis sortie de la douche ! J'enfile mon peignoir et j'arrive !

ma petite sœur

Lundi 22 septembre

Gigi Foster est peut-être douée pour les jeux de ballon, mais on ne peut pas en dire autant pour la conjugaison ! Dans son contrôle, elle a confondu tous les temps. Monsieur Gauthier, qui n'aime pas distribuer des mauvaises notes, était un peu embêté.

– Écoute Gigi, a-t-il dit, je ne te donne pas de points, cette fois-ci. Mais je voudrais que tu revoies à fond l'imparfait et le passé composé. Lundi prochain, je t'interrogerai pendant que les autres seront à la récréation et, cette fois, j'évaluerai tes progrès. Tes parents peuvent-ils t'aider à réviser ?

– Bof ! a-t-elle répondu.

Africa s'est levée.

– Si tu veux, Gigi, je pourrais te donner un coup de main pour apprendre les règles de conjugaison après l'école, a-t-elle proposé.

– Quelle bonne idée, Africa ! a approuvé monsieur Gauthier. En attendant, pour ta générosité, tu mérites ceci.

Et il a sorti de son sac un galet jaune soleil.

Africa est allée le porter dans le coffre aux trésors qui se trouve maintenant au fond de la classe.

Car Cruella s'est plainte auprès du directeur... Celui-ci a simplement suggéré à monsieur Gauthier de déplacer son coffret dans un coin où la prof d'anglais ne risquera plus de trébucher dessus.

– Je ne parviens plus à fermer le couvercle, a constaté Africa.

– Et tu sais ce qui arrive quand le coffre est plein ? lui a demandé monsieur Gauthier.

– Oui ! a-t-elle répondu. Un spectacle de magie !

– Une autre fois, lui a promis notre enseignant. Ce soir, il me reste encore vos contrôles sur le mode de vie traditionnel des Amérindiens à corriger. Je n'aurai donc pas le temps de vous préparer une séance de magie. Le privilège de demain consistera plutôt, pendant la première période de cours, à se raconter des blagues. Préparez-vous, les amis ! Et vous pouvez comptez sur moi ! J'adore les bonnes blagues et j'en connais moi-même plusieurs !

Mardi 23 septembre

On s'est vraiment amusés ! Patrick est assurément le champion des blagues. C'est d'ailleurs de lui que provenait cette suggestion de privilège. Bohumil et Catherine Frontenac nous ont bien fait rire eux aussi. Mais quand notre enseignant a commencé à raconter ses blagues, alors là, on a hurlé de rire ! C'est à peine si on a entendu les coups frappés à la porte.

– Entrez, a dit monsieur Gauthier.

C'était Cruella !

– Les élèves de 5e A essaient de se concentrer sur la leçon d'anglais, a-t-elle déclaré d'un air pincé. Ce qui est loin d'être évident avec l'atmosphère dissipée qui règne dans votre classe… Être enseignant, monsieur, c'est aussi savoir faire preuve d'autorité ! – Je ne donnais pas de cours à mes élèves, madame, a expliqué monsieur Gauthier. Je leur racontais des blagues.

Interloquée, Cruella l'a dévisagé.
– Croyez-vous que c'est pour faire des blagues qu'on vous paie ? a-t-elle demandé. Il ne faudrait pas que le directeur apprenne ça ! Au moins, monsieur l'amuseur public, ayez la politesse de ne pas déranger le travail des autres élèves qui, eux, ont un véritable enseignant !

Sur ce, elle a claqué la porte. Nous, on était pétrifiés.
– Ne laissons pas madame Fattal gâcher votre privilège, a dit monsieur Gauthier d'un ton jovial. Allez, les amis, on continue ! Je vous demande simplement d'être plus discrets.
Gigi Foster a raconté une blague interminable… Enfin, c'était sensé être une blague mais je n'ai rien compris. Marie-Ève et moi, on s'est regardées. On a éclaté de rire, pas parce que c'était comique, mais parce qu'on ne voyait vraiment pas ce qu'il y avait de drôle !

Dimanche 28 septembre

Cet après-midi, maman était en train d'allaiter son bébé quand Caroline, assise à côté d'elle, a lancé :
– Maman, tu m'aimes plus que Zoé, n'est-ce pas ?

Elle semblait très confiante. Elle devait penser que notre mère allait la rassurer en lui affirmant : « C'est évident, ma Ciboulette ! »

Mais maman a répondu :
– Non, Caroline chérie, je ne t'aime pas plus que ta petite sœur, je t'aime autant qu'elle. Et autant qu'Alice.

Et bang ! La déception de ma sœur était évidente. Elle a quitté le salon sans dire un mot.

Je suis allée la rejoindre dans notre chambre. Assise sur son lit, elle serrait Nouf-Nouf, Naf-Naf et Nif-Nif dans ses bras. On aurait dit qu'elle se trouvait sur un radeau perdu au milieu de l'océan.
– Écoute, Caro, il faut que je t'explique, lui ai-je dit. Les mamans ont un cœur élastique qui s'agrandit à mesure qu'elles font des bébés. Les papas aussi, d'ailleurs. C'est ce que maman m'avait raconté après ta naissance. Je m'en souviens encore.

Ma sœur a secoué la tête. Visiblement, elle n'y croyait pas à l'argument du cœur élastique.
– Maman est injuste ! a-t-elle protesté. Zoé, ça ne fait même pas deux semaines qu'elle a débarqué dans notre vie. Tandis que moi, maman me connaît depuis sept ans, quatre mois et vingt jours !

– Tu sais, Caro, d'après ta théorie, maman, qui vit avec moi depuis plus de dix ans, devrait m'aimer davantage que toi, ai-je répondu. Si c'était vrai, tu trouverais ça très injuste également. Et tu aurais raison ! À quoi ça servirait d'avoir plus d'un enfant si on n'adorait que le premier et qu'il ne restait que des miettes d'amour pour les autres ?

– Hum, c'est vrai…, a soupiré ma sœur. Mais j'aurais trouvé normal que maman m'aime un peu plus que Zoé… Au début, au moins.

Elle a donné un bisou sonore sur le groin de chacun de ses cochons bien-aimés puis s'est levée d'un bond. En sautillant joyeusement autour de la chambre, elle s'est mise à chanter à tue-tête :

– Qui a peur du Grand Méchant Loup ? C'est pas nous, c'est pas nous ! Qui a peur du Grand Méchant Loup ? C'est pas nous du tout !

Mardi 30 septembre

Ce soir, papa est arrivé au moment où on se mettait à table.

– Oh, tu as été chez le coiffeur, Marc ! s'est exclamée maman. Tu es tout beau comme ça, mon chéri !

Ils se sont embrassés.

C'est vrai que ça lui va bien, à mon père, les cheveux courts. Il ressemble à son frère Alex, comme ça. En moins bronzé. Mais sa coupe était différente que d'habitude. Derrière, elle était un peu arrondie… Un doute s'est insinué dans mon esprit.

– Chez quel coiffeur as-tu été, papa ? lui ai-je demandé.
– Celui au coin de la rue.
– Chez monsieur Tony ? !
– Oui, c'est ça. Il m'a reçu tout de suite, sans rendez-vous. Et puis, un coiffeur pour hommes à deux minutes de la maison, c'est tellement pratique !
– Un coiffeur pour hommes…, ai-je répété en regardant maman. Je le savais bien que c'était un coiffeur pour hommes !

Jeudi 2 octobre

Cruella écrivait au tableau les mots anglais qui désignent les parties du corps humain. Je m'appliquais à recopier *head, hair, shoulder, arm* et *hand* quand un petit bruit sec a éclaté devant moi. Intriguée, je me suis penchée en avant. Et voilà que ça a recommencé. Horreur absolue ! Patrick avait pété ! Une odeur pestilentielle s'est répandue autour de moi. Assise dans l'autre rangée, Marie-Ève m'a regardée. J'ai bouché mon nez en faisant une grimace. Elle a froncé les sourcils pour demander ce qui n'allait pas. En désignant le dos de Patrick, j'ai articulé, sans émettre aucun son car Cruella a l'ouïe très fine :
– Patrick a pété.
Mais Marie-Ève ne comprenait toujours pas. Et avec son rhume, apparemment, elle ne sentait rien du tout, la chanceuse. Alors, sur un morceau de feuille de brouillon, j'ai écrit :

Patrick a pété ! Ça pue ! ! !

Je lui ai tendu mon message. Juste à cet instant, Cruella s'est retournée. TIC-TIC-TIC-TIC-TIC, elle a accouru vers nous. Tiens, tout à coup, elle ne boitait plus !

– Donne-moi ce billet ! a-t-elle ordonné à mon amie.

Marie-Ève, qui l'avait fourré dans son cahier d'anglais, a bien été forcée de le lui remettre. Cruella l'a lu en silence.

– De mieux en mieux, Alice Aubry ! s'est-elle exclamée d'un ton sarcastique. Je te colle un zéro, ma fille ! Ça t'apprendra à distraire tes amies en leur passant des messages stupides !

Zéro, voilà qui n'allait pas faire remonter mes notes d'anglais... Mais quand j'y pense, j'ai quand même eu de la chance ! En effet, cet inoffensif petit billet ne parlait que des pets de Patrick. S'il avait évoqué un sujet plus compromettant, comme... Cruella, par exemple, j'aurais eu de graves ennuis ! J'ai pris la résolution de ne jamais envoyer de message qui concerne la prof d'anglais. Ce serait trop risqué. Je ne tiens pas à être renvoyée de l'école !

Vendredi 3 octobre

J'étais en train de verser des croquettes de thon dans le bol de mon chat quand papa est revenu de la réunion des parents d'élèves.

– Ah, Alice, quel enseignant merveilleux tu as ! s'est-il exclamé.

– Je te l'avais dit ! Monsieur Gauthier est vraiment cool !

– Et quelle armoire à glace ! a ajouté mon père, visiblement impressionné.

Devant mon air surpris, il m'a expliqué qu'une armoire à glace était un homme très grand et très large d'épaules.
– Il a dit que tu étais une fille sociable et que tu avais plein de bonnes idées, a affirmé papa. Il a aussi souligné ton excellent travail en poésie, en dictée, en composition française et en géographie.
– Et, ai-je demandé, il a ajouté autre chose ?
– Oui, il est très heureux de t'avoir dans sa classe.
Je n'en revenais pas. C'est bien le premier prof qui ne se plaint pas de ma distraction et de mon bavardage ! Sans parler que les maths, c'est vraiment pas mon fort… Des enseignants comme lui, ça donne envie de faire des efforts. Je ne peux pas en dire autant de Cruella !
– Par contre, ta prof d'anglais est beaucoup moins satisfaite, a poursuivi papa.
Oups ! Ça, il fallait s'y attendre…
– Tu vas devoir te mettre sérieusement à étudier au lieu de passer ton temps à refiler des billets à tes amies durant le cours.
– Des billets, elle exagère, ai-je rétorqué. Je n'ai passé qu'un seul petit papier de rien du tout à Marie-Ève ! Et j'ai eu la malchance de me faire prendre.
– Comme preuve, madame Fattal a sorti ton billet de son sac et l'a agité sous mon nez, a raconté papa. Puis, elle me

l'a tendu solennellement. Mais quand j'ai lu le message que tu avais écrit, j'avoue que j'ai dû me retenir pour ne pas éclater de rire !

Heureusement qu'il ne l'a pas fait ! Je l'ai échappé belle ! Au moins, mon père semble me comprendre.

Mercredi 8 octobre

Comme la plupart des nouveau-nés (c'est maman qui le dit), Zoé a des coliques. Ça signifie qu'elle a mal au ventre. Résultat : elle a hurlé toute la soirée. Il n'y a que papa qui parvient parfois à la calmer. Bref, tout à l'heure, Zoé venait de s'endormir dans ses bras quand papa a murmuré :

– Mon p'tit bichon, tu es le plus beau des bébés !

Caroline, qui dessinait une famille de cochons, a quitté brusquement le salon. Je pensais qu'elle allait aux toilettes. Comme elle ne revenait pas, je suis montée dans notre chambre.

Vêtue de son imperméable jaune et chaussée de ses bottes de pluie, Caro fourrait ses cochons en peluche dans son sac à dos.

Frappée de stupeur, je lui ai demandé :

– Mais… qu'est-ce que tu fais ?

– J'en ai assez de mes parents qui ne m'aiment presque plus depuis que ce bébé lala de rien du tout est né ! Je m'en vais !

– Tu ne peux pas faire une chose pareille ! me suis-je écriée. Je t'assure que nos parents nous aiment toujours beaucoup.

D'accord, papa a dit à Zoé qu'elle était le plus beau des bébés. Mais je suis certaine qu'il a dit la même chose à ta naissance et à la mienne !

– Alors papa est un menteur. Et maman, elle est toujours occupée avec son bébé. Je veux changer de famille. Je trouverai bien des gens qui voudront m'adopter.

– Et moi, tu m'abandonnerais ? ai-je dit.

– Il te resterait une sœur, a-t-elle répondu froidement.

– Voyons, Caro, c'est pas pareil ! Tu es unique, et je t'aime !

Bon, j'ai quand même fini par la convaincre de rester vivre avec nous. Pfff ! Je te jure, cher journal, que les petites sœurs, c'est pas de tout repos…

Dimanche 12 octobre

Quand je te disais que ce n'était pas de tout repos… Caroline a remis ça ce soir, alors que Zoé, elle, s'époumonait depuis plus d'une heure à cause de ses coliques.

– J'en ai marre de ce bébé qui pleure tout le temps ! s'est écriée Caro, elle-même au bord des larmes. Ça me donne mal à la tête ! Et puis, tout ce que Zoé sait faire, c'est des rots, des régurgitations, des pipis et des cacas ! C'est vraiment pas intéressant !

– Allons dans notre chambre, lui ai-je proposé. On fermera la porte et on sera tranquilles, juste toutes les deux. Tu aimerais que je te raconte une histoire ?

Caroline a hoché la tête et, à ma grande surprise, elle m'a prise par la main pour monter l'escalier.

Elle a choisi un livre qu'elle avait déjà lu des centaines de fois et qu'elle connaissait par cœur. Devine lequel, cher journal? *Les trois petits cochons!* Avec Nouf-Nouf dans les bras, elle s'est blottie contre moi. Soudain, j'ai eu l'impression qu'elle n'avait plus sept ans, cinq mois et quatre jours, mais qu'elle était encore toute petite et qu'elle allait se mettre à sucer son pouce. J'ai commencé à lire: «Il était une fois trois petits cochons qui vivaient heureux à l'orée de la forêt...»

Mercredi 15 octobre

Ce matin, il y a eu un tremblement de terre en Turquie. Monsieur Gauthier nous en a parlé en classe. Il a demandé:
– Qui sait où se trouve la Turquie?
– Moi, ai-je répondu.

En effet, oncle Alex y est allé l'hiver dernier. J'avais donc planté une punaise rouge au milieu de la Turquie, sur la grande carte du monde qui se trouve au-dessus de mon bureau. Cette carte, c'est mon oncle qui me l'a offerte il y a bien longtemps. Et chaque fois qu'il part faire un reportage photographique dans un nouveau pays, je signale celui-ci au moyen d'une punaise rouge.
– Bien, Alice! a dit Monsieur Gauthier. Peux-tu venir nous montrer ce pays sur la carte?

Ensuite, notre enseignant nous a raconté que ce séisme avait causé des centaines de morts.

Ce soir, je me suis glissée à côté de papa qui regardait les informations à la télé. Les images m'ont bouleversée. On voyait les décombres d'une école. Les secouristes retiraient un à un les corps des enfants et ceux de leurs enseignants. Une femme berçait son bébé mort devant les ruines de sa maison. Et un homme hagard soutenait sa vieille mère. Ils avaient perdu toute leur famille. C'était trop triste! J'ai filé dans ma chambre.

Caroline m'a demandé:
– Mais... pourquoi tu pleures?
– Je ne pleure pas, ai-je répliqué. J'ai juste le nez et les yeux qui piquent. Ça doit être une allergie.
Caro a continué:
– Mais Alice, je le vois bien que tu pleures!
Alors j'ai éclaté en sanglots.
Ma sœur était inquiète. Elle m'a fait asseoir sur son lit et m'a mis Tire-Bouchon et Cochonnet dans les bras. Dès que j'ai été capable de parler, je lui ai expliqué la raison de ma peine. Elle a fait de son mieux pour essayer de me consoler. Mais quand même, des fois, la vie est trop injuste! Bon, je te laisse, cher journal. J'ai juste une envie: me blottir dans mon lit contre mon chat bien-aimé.

Jeudi 16 octobre

Ce matin, j'ai raconté à Marie-Ève ce que j'avais vu à la télé.
– C'est terrible! a-t-elle reconnu.
– Non seulement il y a plein de morts, ai-je ajouté, encore bouleversée, mais en plus, les survivants n'ont plus de logement. Ils manquent de nourriture, d'eau potable, de médicaments, bref, de tout. Il faudrait les aider.
– Monsieur Gauthier a dit que la Croix-Rouge envoyait des secours, m'a rappelé mon amie.
– Oui mais nous, qu'est-ce qu'on pourrait faire pour eux? ai-je insisté.
Marie-Ève a haussé les épaules en signe d'impuissance:
– Comment veux-tu qu'on fasse quoi que ce soit, Alice? a-t-elle répondu. On habite à des milliers de kilomètres de la Turquie.

Tout à coup, j'ai eu une idée.
– Les gens vont avoir besoin de beaucoup d'argent pour reconstruire leurs villages, lui ai-je expliqué. Et si on récoltait des sous comme on le fait chaque année à l'Halloween pour l'Unicef? On pourrait demander à tous les parents de l'école de participer.
– WOW! s'est exclamée Marie-Ève. Alice, tu es GÉNIALE!
On est allées trouver monsieur Gauthier. Lui aussi était emballé par mon idée. Il a promis d'en parler au directeur.

Vendredi 17 octobre

– Veux-tu un biscuit ? ai-je demandé à Marie-Ève en arrivant à la récréation.

– Non merci, Alice, je n'ai pas faim. Euh… je… je voudrais te confier un secret.

– Quoi ? ai-je demandé, intriguée.

– Simon, eh bien, je le trouve vraiment beau. Durant le contrôle de fractions, je me suis aperçue qu'il me regardait. Je lui ai souri. Quand il m'a souri à son tour, mon cœur s'est mis à battre très vite, comme un cheval au galop et…

Catherine Provencher l'a interrompue.

– Alice, tes biscuits ont l'air délicieux. Je peux en avoir un, s'il te plaît ?

Pour avoir la paix, je lui ai donné les deux biscuits qui me restaient. Elle est repartie, toute contente.

– Et puis ? ai-je demandé à Marie-Ève.

– Après, j'ai eu beaucoup de difficultés à me concentrer sur les dernières fractions. Je crois que je suis en train de tomber amoureuse.

J'ai dévisagé mon amie. Elle était toute rose. On aurait dit qu'elle flottait.

– C'est vrai qu'il est beau, Simon, ai-je reconnu. Et gentil aussi. Mais lui qui a l'air un peu timide, ça m'étonne qu'il ait osé te fixer comme ça !

Prise d'une inspiration subite, j'ai ajouté :

– Ça doit être l'amour qui lui donne des ailes !

Marie-Ève a poussé un soupir d'aise.

Cet après-midi, monsieur Gauthier nous a communiqué une bonne nouvelle, à mon amie et à moi. Le directeur est d'accord pour qu'on organise une collecte de fonds pour venir en aide aux victimes du tremblement de terre. Il demande que, toutes les deux, on écrive aux parents en leur expliquant notre démarche. Il remettra une copie de cette lettre à chacun des élèves. Notre enseignant souhaite nous encourager dans ce beau projet. Il nous donne 50 $ pour notre collecte. Décidément, il est adorable !

En rentrant à la maison, j'ai ouvert ma tirelire. Elle contenait 4,13 $. Je les ai placés dans une enveloppe avec le billet de monsieur Gauthier. Papa a ajouté 20 $. Ce qui fait déjà 74,13 $. Notre collecte s'annonce plutôt bien.

Comme dessert, ce soir, il y avait de la crème au chocolat ! Cependant, je lui ai trouvé un goût bizarre.
– Maman, il n'y aurait pas du soya là-dedans, par hasard ?
– Si, a-t-elle avoué.

Au moins, elle est honnête ! Mais c'est plus fort qu'elle, elle ne peut pas s'empêcher de faire de nouvelles tentatives...
– Ton frère Alex est-il déjà rentré du Botswana ? a demandé maman à papa, comme pour faire diversion.
– Oui, hier soir, a répondu papa. On s'est parlé tout à l'heure au téléphone. Il est pressé de venir voir sa toute nouvelle petite nièce. Dimanche, ça te convient, Astrid ?
– C'est parfait, a dit maman. Mais assez tôt, parce qu'à partir de 5 heures du soir, on ne s'entend plus à cause des coliques.
Oncle Alex ! Ça a fait TILT dans ma tête !

– Je n'ai plus faim pour le dessert, ai-je décrété en me levant de table.

Je me suis précipitée sur le téléphone.
– Bonsoir, oncle Alex! Comment vas-tu?
– Alice! Quelle bonne surprise!
– C'était comment, le Botswana? lui ai-je demandé.
– C'est un pays magnifique, juste au nord de l'Afrique du Sud. J'ai eu le privilège de passer deux semaines avec des Bochimans.
– C'est quoi, des Bochimans? Ce sont des habitants du Botswana?
– Oui, des autochtones.
– Il y a des Amérindiens en Afrique? me suis-je étonnée.
– Oh non! a répondu oncle Alex. Ce sont d'autres autochtones qui vivent dans le désert du Kalahari depuis des milliers d'années. J'ai vu aussi deux lions! J'ai même réussi à en photographier un au zoom pendant qu'il rugissait! C'était très impressionnant! Je te montrerai mes photos.
Changeant de sujet, je lui ai dit:
– Tu sais qu'il y a eu un tremblement de terre en Turquie?
– Oui, quelle catastrophe! a-t-il répondu. Pauvres gens! L'épicentre du séisme se trouve à moins de 100 km de l'endroit où j'ai séjourné au mois de mars…
– Justement, c'est pour ça que je t'appelais. Pour venir en aide aux survivants, ma meilleure amie et moi, on organise une collecte de fonds à l'école, ai-je expliqué. J'ai pensé que tu accepterais peut-être de participer.

– Tu peux compter sur moi, Alice! Quand je viendrai vous dire bonjour ce week-end, je te remettrai un billet. Écoute... Moi aussi, j'ai une idée.

– ...

– Alice, je ne comprends plus ce que tu dis! C'est quoi, cette sirène d'alarme? Allô?

– Attends un instant, oncle Alex! ai-je crié dans le combiné.

J'ai couru dans ma chambre avec le téléphone.

– Voilà, tu m'entends maintenant? C'est l'heure des coliques de Zoé! Bon, qu'est-ce que tu disais?

– Et si on organisait une exposition de mes photos de Turquie dans ton école? a-t-il proposé. On ferait payer les visiteurs. Cela vous permettrait de recueillir davantage d'argent. Qu'en penses-tu?

Je suis restée sans voix. Oncle Alex a demandé :

– Alice, tu es toujours là?

– Oui, oncle Alex. C'est vrai, tu ferais ça?

JE L'ADORE!

C'était tellement excitant! J'ai tout de suite appelé Marie-Ève. Elle aussi trouve cette idée super hyper géniale! On voudrait déjà être lundi pour en parler à monsieur Rivet.

Ce soir, j'ai accompagné maman au supermarché. On faisait la file à la caisse quand je me suis rappelé que Caro nous avait demandé de racheter du ketchup. J'ai foncé à travers le magasin. Au rayon des condiments, je suis tombée sur Éléonore et son père. Elle m'a demandé ce que monsieur Gauthier avait à nous dire de si important, à Marie-Ève et à moi. Je l'ai mise au courant de notre collecte de fonds. Elle n'a pas fait preuve de beaucoup d'enthousiasme. Il faut dire que ce n'est pas elle qui en a eu l'idée… Et qu'elle et Marie-Ève ne se supportent pas.

Lundi 20 octobre

Marie-Ève m'attendait sur le tapis de feuilles jaunes et rouges au pied de notre érable. On a discuté de notre collecte. Puis je lui ai raconté que j'avais croisé Éléonore au supermarché.

– Évidemment, tu ne lui as rien dit! a lancé mon amie.

– Ben si, ai-je répondu, étonnée.

– Quoi, tu l'as dit? Nooon, Alice, je ne te crois pas.

– Oui, je lui en ai parlé. Il n'y a pas de quoi en faire un drame, tout de même!

– Mais c'est pas possible! a rugi Marie-Ève.

– Pourquoi? Ça n'a rien d'un secret. D'ailleurs, toute l'école sera bientôt au courant!

– Si, justement, c'était un secret! a-t-elle crié.

Elle était déchaînée. Franchement, je trouvais qu'elle exagérait. D'autant plus que c'était moi qui, au départ, avais pensé à recueillir de l'argent pour venir en aide aux Turcs sinistrés!

– Je suis très déçue! a-t-elle ajouté, au bord de la crise de nerfs.

Me tournant le dos, elle s'est mise à sangloter.

– Je n'aurais jamais pensé ça de toi! a-t-elle ajouté. Tu as trahi ma confiance!

Je n'avais encore jamais vu Marie-Ève dans un état pareil!

Gigi Foster s'est approchée:

– Qu'est-ce qui se passe? Vous vous disputez?

– Toi, ne te mêle surtout pas de ça! a aboyé Marie-Ève, comme si elle allait la mordre.

– Les inséparables se chicanent…, a commenté Gigi Foster de sa voix moqueuse. On se croirait dans un téléroman!

Cette peste s'est éloignée. La cloche a sonné. Marie-Ève m'a plantée là. Elle s'est précipitée vers l'escalier.

En classe, notre enseignant nous a accueillis avec une boîte de mouchoirs en papier à la main.

– Bonjour, les abis. J'ai un terrible rhube. J'ai un gros mal de TCHOUUU, euh, mal de tête. Je vous demanderai donc de bien écouter. Ainsi, je n'aurai pas à répéTCHOUUU TCHOUUU TCHOUUU, euh, répéter.

Son nez était aussi rouge que celui d'un clown. Pauvre monsieur Gauthier!

En attendant, moi, j'avais un tout autre sujet de préoccupation. J'étais consternée. Comment les choses avaient-elles pu déraper à ce point avec ma meilleure amie? Dire qu'en cinq ans, on ne s'était jamais disputées! Pourtant, j'étais persuadée de ne rien avoir fait de mal. D'accord, j'avais parlé à Éléonore de notre projet de collecte de fonds. Mais comment aurais-je pu deviner que Marie-Ève voulait le garder secret? D'autant plus que cette semaine, on allait solliciter l'aide des parents... Tout ça n'avait aucun sens.

– Et alors AliTCHOUM, euh, Alice, tu rêves? a dit monsieur Gauthier. Je viens de te demander le conditionnel présent du verbe finir.

Brusquement ramenée à la réalité, j'ai commencé:
– Euh... Je finis, tu finis, il finit...
– Non, Alice! m'a interrompue notre enseignant. J'ai dit le conditionnel préTCHOUM, euh, le conditionnel présent et non l'indicatif présent. Tu étais encore une fois dans la TCHOUU TCHOUU, dans la lune! Je me vois obligé de te mettre zéro.

En entendant ces mots, voilà que tout à coup, ce fichu conditionnel présent m'est revenu à l'esprit. J'ai dit:
– Monsieur, je m'en souviens maintenant, du conditionnel!

Mais monsieur Gauthier a répondu:
– Trop tard, Alice. Il fallait écoutTCHOUUU! euh, écouter. Que ça te serve de leTCHOUM, de leçon!

Zéro! Je n'en revenais pas! Et de la part de monsieur Gauthier en plus! Lui qui d'habitude est si compréhensif! Jamais je ne l'aurais cru capable de distribuer des zéros. Même Gigi Foster et Jonathan n'en ont encore jamais eu avec lui. Bon, je me doutais que c'était son gros rhume qui le rendait impatient. Mais quand on est malade, on se soigne à la maison plutôt que de risquer de contaminer toute l'école !

Et ma meilleure amie qui était fâchée contre moi alors que je ne comprenais même pas pourquoi... D'ailleurs, ce zéro, je l'ai eu à cause de cette stupide dispute. Il y a des jours où la vie est vraiment nulle ! C'est moi qui aurais dû être terrassée par un virus, ce matin. Ainsi, je serais restée tranquillement au lit à me faire dorloter par maman et je n'aurais pas dû affronter deux personnes merveilleuses qu'un mauvais sort a transformées en véritables dragons.

Quand la cloche a sonné, Marie-Ève s'est précipitée dehors. Il fallait absolument que j'éclaircisse le mystère de sa colère. De plus, on devait aller parler de la proposition d'oncle Alex à monsieur Rivet. Et il fallait aussi rédiger la lettre aux parents. Ce serait trop bête qu'un si beau projet tombe à l'eau... Et le plus bête de tout, ce serait de perdre ma meilleure amie ! D'ailleurs, où était-elle ?

J'ai fini par la retrouver sous l'escalier de la cour. Elle a regardé ailleurs et m'a crié :

– Va-t'en !

J'ai pris mon courage à deux mains.

– Ta réaction est injuste ! lui ai-je lancé. Oui, j'ai parlé de la collecte à Éléonore. D'accord, je sais que tu ne l'aimes pas, cette fille, mais ce n'est pas une raison pour me traiter de la sorte !

– Tu lui as parlé de l'opération pour la Turquie ? a demandé Marie-Ève d'un air surpris.

J'ai soupiré :

– Oui ! Tu ne vas quand même pas continuer à me poser la même question jusqu'à la fin des temps ? Depuis ce matin, je te réponds oui. OUI, OUI, OUI, c'est clair ?

Une lueur d'espoir a brillé dans ses yeux.

– Oh, Alice ! Comme ça, tu ne lui as rien dit ?

Là, je trouvais son attitude carrément bizarre. Elle était devenue folle ou quoi ?

Marie-Ève a poursuivi :

– Tu ne lui as pas parlé de Simon ?

– De Simon ? ! Bien sûr que non ! Qu'est-ce que Simon a à voir avec notre projet de collecte ?

Marie-Ève m'a entraînée dans une ronde effrénée.

– Oh, je le savais, Alice, que tu pouvais garder un secret ! Tu es toujours ma meilleure amie !

Soudain, ça a fait tilt. Elle et moi, on ne parlait tout simplement pas de la même chose… Elle avait cru que j'avais raconté à Éléonore qu'elle était amoureuse de Simon ! Non mais ! Comme si j'étais capable de faire une chose pareille ! Pour qui elle me prend ?

Enfin, l'affaire est résolue. On s'est réconciliées. Monsieur Rivet a trouvé l'idée d'oncle Alex formidable. Il lui a téléphoné, et ils ont tout organisé ensemble. L'exposition se tiendra jeudi soir dans la grande salle de l'école, celle où ont lieu les événements spéciaux comme les spectacles de fin d'année. Marie-Ève a eu l'idée de faire une affiche pour accueillir les visiteurs à l'entrée. Nous la fabriquerons chez moi, mercredi soir, après l'école. Mon amie restera à coucher à la maison. Cool !

Mardi 21 octobre

Ce matin, Africa nous a rejointes sous l'érable. Je me suis exclamée :
– Salut, Africa ! Tes tresses sont superbes, encore plus que d'habitude !
– Merci, Alice ! Ma mère m'en a fait de nouvelles hier soir. Elle adore me coiffer ! Tenez, c'est pour vous, les filles.

J'ai ouvert l'enveloppe qu'elle m'a tendue. À l'intérieur, il y avait 20 $.
– C'est pour la collecte de fonds ? ai-je demandé. Tu diras un grand merci à tes parents de notre part.
– Mon père m'a promis de donner de l'argent un peu plus tard cette semaine. Mais moi aussi, je voulais vous soutenir dans votre projet. Alors ce billet est pour vous. Il sera bien plus utile en Turquie que dans ma tirelire !
– Oh Africa ! s'est exclamée Marie-Ève. Comme tu es gentille !
Elle a raison. Africa Seydi pense toujours aux autres.

Mercredi 22 octobre

19 h 50 : Marie-Ève se trouve sous la douche. Moi, je suis déjà en pyjama. Notre affiche est vraiment réussie. Sur le grand carton blanc que nous a donné le directeur, j'ai écrit :

> Solidarité avec la Turquie
> Exposition de photos
> d'Alex Aubry
> à l'École des Érables
> Le jeudi 23 octobre de 19h00 à 21h00
> Prix d'entrée : 5 $ par famille

Tout autour, on a collé des photos des villages dévastés qu'on a découpées dans le journal.

Bon, maintenant, il nous reste la leçon d'anglais à étudier… À deux, c'est quand même moins difficile. D'autant plus que, comme Marie-Ève est bonne en anglais, elle pourra m'aider. Ensuite, on ira se coucher au sous-sol, dans le grand lit de la chambre d'amis. Cependant, je doute qu'on réussisse à s'endormir rapidement ! On est bien trop excitées. Vivement demain !

Jeudi 23 octobre

21 h 48. Mes parents sont venus nous embrasser, Caroline et moi. Maman a éteint la lumière. Mais pas question d'attendre demain pour te raconter cette journée si spéciale, cher journal! Caro, bien sûr, s'est endormie tout de suite. J'ai allumé ma lampe de chevet. Et maintenant je t'écris, assise dans mon lit, avec Grand-Cœur à mes côtés.

Donc, ce midi, en sortant de la cafétéria, Marie-Ève et moi, on est passées par la grande salle. Oncle Alex et monsieur Rivet étaient en train d'installer l'exposition.
– Alice! s'est exclamé mon oncle en m'apercevant.
– Bonjour, oncle Alex! Je te présente mon amie Marie-Ève.
– Enchanté, Marie-Ève!
– La matinée m'a semblé interminable, ai-je expliqué à mon oncle. Je voudrais déjà être ce soir!
– Wow! s'est exclamée Marie-Ève devant les cinq grandes photos déjà accrochées au mur. C'est vraiment beau, monsieur!
– Je suis content que mes photos te plaisent, a répondu oncle Alex.

Quand on s'est dirigées vers la cour, mon amie m'a avoué:
– Je trouvais bizarre, au début de l'année, que tu aies choisi ton oncle comme héros... Mais maintenant, je te comprends. C'est un véritable artiste!

Après le souper, Caroline et moi, on est retournées à l'école avec papa. Pas question d'emmener Zoé, avec ses coliques! Maman est donc restée avec elle à la maison. À l'entrée de la grande salle, notre affiche avait fière allure. Et à l'intérieur, une quarantaine de photos tapissaient les murs. J'ai fait le tour de l'exposition avec oncle Alex. Il m'a montré Ankara, la capitale, Istanbul, une autre grande ville, la basilique Sainte-Sophie, la Mosquée bleue, des marchés, le Bosphore, un fleuve majestueux, des montagnes aux sommets enneigés, des villages et leurs habitants. C'était spectaculaire!

Le bar improvisé se composait de quatre tables de la cafétéria placées bout à bout devant le rideau rouge de la scène. À 18 h 55, Marie-Ève est arrivée avec sa mère. Elles serviraient aux visiteurs du Citrobulles, des jus de fruits et de l'eau pétillante. Moi, j'étais chargée de vendre les billets à l'entrée. J'ai pris place derrière une petite table, à côté de notre affiche.

Un quart d'heure plus tard, aucun visiteur n'était encore arrivé. Je commençais sérieusement à m'inquiéter. Notre enseignant est apparu.

– Oh, monsieur Gauthier! Vous êtes guéri? lui ai-je demandé.

En effet, depuis mardi, il était absent, et nous avons eu une remplaçante.

– Presque, a-t-il répondu. Je reviendrai demain en classe. Mais je ne voulais surtout pas rater l'exposition!

J'ai jeté un coup d'œil dans le couloir. Toujours pas de visiteurs en vue. Et si personne ne venait! Au moment où je faisais part de mes craintes à monsieur Gauthier, une idée de génie a jailli dans mon esprit.

– Vous qui êtes magicien, vous pourriez peut-être faire apparaître quelques visiteurs, non?

Mon enseignant a souri.

– Je peux toujours essayer, Alice. Cependant, je ne garantis rien! En effet, je n'ai même pas ma baguette avec moi. Et puis, ça restera entre nous, d'accord?

– Promis, lui ai-je affirmé.

Il a pointé la salle du doigt en murmurant:

– Abracadabra, salle d'exposition, tu te rempliras!

Moi, pour l'aider, je retenais mon souffle. Les yeux fermés, je me suis concentrée très très fort.

– Salut, Alice!

C'était Karim, mon premier visiteur! Il était accompagné de ses parents et de sa sœur qui est en 3ᵉ année. J'ai encaissé leur billet de 5 $.

Quand ils se sont éloignés, j'ai dit discrètement à mon enseignant:

– Merci monsieur!

Il m'a fait un clin d'œil.

– De rien, Alice. Et maintenant, je vais aller admirer les photos de ton oncle avant qu'il n'y ait trop de monde. Tu sais, je suis moi-même un passionné de photographie. J'en prends notamment en Gaspésie, chaque fois que j'ai la chance d'y retourner. La nature est tellement belle, là-bas.

Africa est arrivée à son tour avec ses parents, suivie des deux Catherine, d'Éléonore, Audrey, Jade, Bohumil,

Eduardo et Simon. J'étais heureuse pour Marie-Ève que Simon soit venu. Ma caisse se remplissait à vue d'œil. Il y avait aussi beaucoup d'élèves des autres classes ainsi que toutes les enseignantes. Toutes, sauf Cruella. Et ce n'est certainement pas moi qui allais me plaindre de son absence !

À 20 heures, la grande salle était presque pleine.

Ilhan, un garçon de 5ᵉ A, s'est approché de moi avec ses parents et ses deux petites sœurs.

– Nous sommes Turcs, a dit le papa. Nous tenons à vous féliciter, ton amie et toi ! Merci d'avoir pensé à venir en aide à ces gens qui ont vu leur vie basculer la semaine dernière. Et pour nous, c'est merveilleux de pouvoir montrer ces superbes photos de notre pays à nos enfants !

Il faisait de plus en plus chaud. Le bar était pris d'assaut. Karim et Simon aidaient Marie-Ève et sa mère à servir. Monsieur Gauthier est revenu me voir.

– Quelle belle soirée ! s'est-il exclamé. Tu es contente, Alice ?

– Ah oui ! Grâce à vous, on va récolter beaucoup d'argent !

– C'est plutôt grâce à toi, à Marie-Ève et à ton oncle, a-t-il rétorqué. Écoute, à cette heure-ci, je ne pense pas qu'il y ait d'autres visiteurs qui arrivent. Si tu veux, tu peux aller rejoindre tes amis. Je surveillerai la caisse.

– Oh, cool ! Merci.

Même s'il parle encore un peu du nez, notre enseignant est redevenu aimable comme avant ! Quelle chance !

Je me suis dirigée vers le bar.

– Tu dois avoir soif! m'a dit Marie-Ève. Qu'est-ce que je te sers?

Elle avait des étoiles plein les yeux. Pas étonnant, Simon se trouvait à ses côtés, en train d'encaisser l'argent des boissons.

– Un grand verre de Citrobulles, s'il te plaît! Dis, tes cheveux sont magnifiques! C'est ta mère qui t'a fait ces boucles?

– Oui, a-t-elle répondu.

Et elle a ajouté à mon oreille: « Alice, il faut absolument que je te parle. Viens avec moi aux toilettes. »

J'ai avalé ma limonade préférée d'un trait et je l'ai suivie.

Les toilettes étaient désertes. Devant les lavabos, Marie-Ève m'a annoncé d'un ton fébrile:

– Simon aussi a tout de suite remarqué mes cheveux et m'a fait un compliment. Il a plongé ses yeux dans les miens et a respiré profondément, comme s'il prenait son courage à deux mains. Et après, il a chuchoté, pour que personne d'autre n'entende: « Tu es tellement belle, Marie-Ève! Je n'ai jamais vu de fille aussi belle que toi! »

Ébahie, j'écoutais mon amie. Elle, elle avait les joues toutes roses et un immense sourire illuminait son visage. Elle a repris:

– Mes jambes se sont mises à flageoler. J'ai eu envie d'embrasser Simon, mais ce n'était pas possible, bien sûr. On se trouvait au milieu de la foule! Et de toute façon, je ne sais pas si j'aurais osé… Lui, il a rougi et s'est empressé de servir des élèves qui réclamaient du Citrobulles.

– Eh bien ! me suis-je exclamée.

– Tu te rends compte, Alice ! a-t-elle ajouté en posant sa main sur son cœur. J'ai l'impression d'avoir rêvé.

C'était incroyable en effet ! Et magnifique à la fois. Et vertigineux. Marie-Ève a sorti un brillant à lèvres rose nacré de sa poche. Elle s'en est remis devant le miroir, puis nous sommes retournées derrière le bar.

J'ai jeté un coup d'œil discret à Simon. Il parlait avec Bohumil et avait l'air comme d'habitude.

– Ton père n'est pas là ? ai-je demandé à Marie-Ève en servant un verre de jus à Caroline.

– Il devait venir, mais il s'est encore disputé avec ma mère, a-t-elle répondu.

– C'est pas drôle…

– Non, vraiment pas. Ils passent leur temps à se chicaner !

Oncle Alex et monsieur Gauthier se sont approchés. Ils ont commandé un verre de jus de fruits pétillant.

– Ton enseignant m'a proposé de venir vous parler de la Turquie, et j'ai accepté avec plaisir, m'a dit mon oncle. Je passerai donc tout un après-midi dans votre classe.

– Oh, cool ! me suis-je réjouie. Quand ça ?

– Jeudi prochain.

Comme il avait son appareil photo autour du cou, je lui ai demandé :

– Tu nous prendrais en photo, mon amie et moi ?

– Avec plaisir, a-t-il répondu.

Marie-Ève et moi, on a fait tchin-tchin avec nos verres de Citrobulles ! Clic. Clic. Et reclic.

– Merci, oncle Alex! Tu me les montreras, hein?

À la fin de la soirée, ma caisse contenait 395 $. Marie-Ève et son équipe avaient vendu pour 283 $ de boissons. Si je calcule bien, ça fait 678 $. À cela s'ajoute 74,13 $. Plus le montant des premières enveloppes de la collecte de fonds qui sont rentrées: 143 $. Quel succès!

Mon doux Grand-Cœur dort à mes pieds et moi, mes yeux se ferment tout seuls. Mince! Minuit moins dix… Ce sera dur dur de se lever demain matin! Bonne nuit, cher journal!

Lundi 27 octobre

C'est le dernier jour de notre collecte. Marie-Ève et moi, on est restées en classe à l'heure de la récré. Monsieur Gauthier nous avait demandé de compter l'argent recueilli par notre classe. Les enseignants des autres classes doivent remettre les enveloppes contenant les dons des parents à monsieur Rivet. Dans le couloir, soudain, TIC-TIC-TIC-TIC-TIC. Oh non!

– Alice Aubry et Marie-Ève Poirier-Letendre! s'est écriée Cruella en nous apercevant. Que faites-vous ici? Il est strictement interdit de rester en classe pendant la récréation! Auriez-vous oublié l'article 17 du code de vie de l'école?

– Non, madame, l'a rassurée Marie-Ève. Mais aujourd'hui, c'est spécial. On fait les comptes de la collecte de fonds.

– Quelle collecte ? *My goodness !*, d'où sort tout cet argent ?
Chez le directeur, immédiatement !

À mon tour, j'ai tenté de lui faire comprendre ce qu'on faisait.

– Monsieur Gauthier nous a permis…

Mais Cruella m'a interrompue :

– Taratata ! Vous vous expliquerez devant monsieur Rivet !

Elle a ramassé les billets et les pièces de monnaie et les a fourrés dans sa poche.

La porte du bureau du directeur était ouverte. Quand il nous a aperçues, son visage s'est éclairé. Il s'est exclamé :

– Ah, voilà les héroïnes de l'école des Érables ! Je vous attendais, Alice et Marie-Ève ! Bonjour, madame Fattal ! Mais… que se passe-t-il ?

– Pendant la récréation, j'ai surpris ces demoiselles en train de s'amuser en classe avec de l'argent ! a expliqué Cruella, outrée. Tenez, le voici !

D'un geste théâtral, elle a sorti les billets de sa poche.

– Il y a aussi des pièces, ai-je dit.

En me jetant un regard noir, Cruella a plongé sa main dans sa poche. Une poignée de dollars a résonné sur le bureau.

– Vous avez parfaitement raison, madame Fattal, a déclaré monsieur Rivet. Il est interdit aux élèves de traîner dans les classes et dans les couloirs en dehors de la période des cours. Mais je m'étais entendu avec monsieur Gauthier, et Marie-Ève et Alice avaient l'autorisation de rester en classe. Elles faisaient les comptes de leur collecte. Vous savez qu'elles ont eu la riche idée d'organiser une opération pour venir en aide aux victimes du tremblement de terre en Turquie. Je les attendais d'ailleurs d'une minute à l'autre avec l'argent et les formulaires remplis par les parents.

– Rien que dans notre classe, on a réuni 192 $! ai-je annoncé fièrement.

– Bravo ! s'est exclamé le directeur.

Cruella, bien sûr, fulminait.

– Dans ce cas, bonne journée, monsieur Rivet ! a-t-elle lancé d'un air pincé. Puis elle a tourné les talons.

Moi, j'ai pensé : « Aïe aïe aïe... tout ça ne fera pas remonter mes notes d'anglais... »

Mardi 28 octobre

À la récréation, la surveillante est venue nous trouver sous l'érable.

– Le directeur vous demande à son bureau, a-t-elle dit.

Dès que monsieur Rivet nous a aperçues, il s'est levé.

– Alice et Marie-Ève, votre collecte de fonds totalise la somme impressionnante de 2274,50 $! nous a-t-il annoncé. Et pour faire un chiffre rond, j'ai le plaisir d'ajouter 25,50 $ de ma poche.

Ensuite, il a signé un petit papier. C'était un chèque de 2300 $! Il était établi à l'ordre de la Croix-Rouge de la part de l'école des Érables. Marie-Ève et moi, on est restées bouche bée.

– Je l'envoie aujourd'hui même avec une lettre d'accompagnement, a-t-il dit. Encore toutes mes félicitations, mesdemoiselles !

Marie-Ève et moi, on est remontées en classe. Un galet vert lime m'attendait sur mon pupitre. Et sur celui de Marie-Ève trônait un galet lilas.

– Merci monsieur Gauthier, ai-je dit. Vous les trouvez où, ces jolis cailloux ?

– Je les ramasse en bordure de la rivière qui longe le terrain de mes parents, en Gaspésie, a-t-il répondu. Et comme j'adore les couleurs, je m'amuse à les peindre.

Marie-Ève a signalé :

– Monsieur Gauthier, le coffre est plein !

Le regard de notre enseignant s'est allumé.

– Demain, les amis, vous bénéficierez d'un privilège très spécial ! nous a-t-il promis.

– QUOI ? QUOI ? s'est-on écriés.

– Il va falloir être patients, nous a-t-il répondu avec un sourire mystérieux. Je vous prépare une belle surprise !

– Je n'en reviens pas comme Éléonore est jalouse ! a explosé Marie-Ève à la fin du cours. Tu aurais dû voir la tête qu'elle a faite parce que je recevais un galet. Elle m'énerve, cette fille ! Si tu savais, Alice, comme elle m'énerve ! Elle a des super bonnes notes, mais on dirait que ce n'est pas encore assez. Elle veut toujours être la meilleure !

– Les gens jaloux, c'est fatigant, ai-je reconnu. Écoute, laisse tomber. Pense plutôt au privilège qui nous attend demain ! Je suis sûre que c'est le spectacle de magie. Ça va être génial !

Mercredi 29 octobre

Ce matin, dès qu'on a tous été installés derrière nos pupitres, monsieur Gauthier a demandé, les yeux brillants de plaisir :
– Et alors, chère classe de 5e B, avez-vous hâte de connaître votre privilège ?
– Ouiiii ! a-t-on répondu en chœur.
– Vous êtes sûrs que vous ne voulez pas attendre la fin de la leçon de grammaire pour savoir ce que c'est ?
– Nonnnnn !
– Alors, vous êtes prêts ?
– Ouiiiiii ! ai-je crié, plus fort que les autres.
– Dans ce cas, je ne vous fais pas languir plus longtemps. Cet après-midi, nous jouerons au basketball non pas pendant une, mais bien deux heures ! Je me suis arrangé avec madame Duval. Et je jouerai avec vous ! Gare à vous, les amis, car que je suis très bon au basket ! Je faisais partie du club de l'université, et notre équipe a remporté de nombreux matches.
– COOL ! se sont écriés Jonathan, Africa, Patrick, Eduardo et Karim.
– TROP HOT ! s'est enthousiasmée à son tour Gigi Foster. C'était mon idée !

– J'étais sûr que ça vous plairait ! s'est réjoui notre enseignant.

J'étais atterrée ! Dire que c'était grâce à Marie-Ève et à moi qu'on avait droit à cette soi-disant récompense... Il s'agissait plutôt d'une punition ! J'étais tellement déçue que j'en avais les larmes aux yeux. Marie-Ève m'a jeté un coup d'œil compatissant. Et moi qui avais cru monsieur Gauthier quand il prétendait être un magicien... Un vrai magicien aurait su que je détestais jouer au basketball.

Quand l'heure fatidique est arrivée, monsieur Gauthier a commencé par jouer avec mon équipe, et notre enseignante d'éducation physique avec l'équipe adverse. Ensuite, ils ont changé. Gigi Foster, Jonathan et les autres s'en donnaient à cœur joie. Quant aux deux profs, ils étaient déchaînés. Moi, comme d'habitude, j'essayais d'éviter le ballon. Tu parles d'un privilège !

Une consolation : c'est demain qu'oncle Alex vient nous parler de la Turquie. Avec lui au moins, je suis sûre qu'il n'y aura pas de mauvaise surprise.

Jeudi 30 octobre

Au début de l'après-midi, j'ai trouvé un journal ouvert sur mon pupitre. Bizarre. Je m'apprêtais à le refermer et à aller le porter dans le bac de recyclage quand soudain, j'ai crié :

– Marie-Ève, viens voir ça !

– Mais… c'est nous ! s'est-elle exclamée, éberluée.

Sous le titre *Célébrités,* la page était remplie de photos de vieux couples élégants et d'étudiants en costume qui montraient fièrement leur diplôme. Et au milieu se trouvait une belle photo de nous deux datant de l'été dernier, où on se tient par les épaules. Incroyable !

Toute la classe a accouru.

– J'veux voir ! a réclamé Jonathan en nous bousculant.

– Aïe, tu pourrais faire attention ! s'est écriée Audrey. Tu m'as marché sur le pied !

Un texte accompagnait notre photo : « Alice et Marie-Ève, votre projet *Solidarité avec la Turquie* est un véritable succès ! Nous sommes fiers de vous. » C'était signé : « Vos parents qui vous aiment ».

– Vous êtes les stars de l'école ! a décrété Africa avec enthousiasme.

J'ai jeté un coup d'œil à Éléonore. Elle levait les yeux au ciel. Marie-Ève a raison. C'est clair que ça la dérange, quand ce n'est pas elle la vedette. Assis à son bureau, monsieur Gauthier souriait.

– Imaginez ma surprise ! a-t-il raconté. Ce midi, je parcourais le journal en mangeant mon sandwich dans la salle des profs. Et voilà que je tombe sur une photo de mes élèves ! Quelle bonne idée vos parents ont eue. C'est largement mérité.

Soudain, quelqu'un a frappé à la porte. Notre enseignant est allé ouvrir, et une voix que je connaissais bien a lancé :
– Bonjour, monsieur Gauthier. Salut, les jeunes !
C'était oncle Alex ! Pendant deux heures, il nous a raconté plein de choses passionnantes sur la Turquie. Selon lui, c'est un des plus beaux pays du monde. Je ne sais pas encore ce que je ferai, plus tard, comme métier. Mais ce qui est sûr, c'est que je serai moi aussi une grande voyageuse !

Quand mon oncle a eu terminé, Jonathan s'est levé et s'est écrié :
– M'sieur, nous, on a une photo de vous dans la classe !
– Ah oui ? s'est étonné oncle Alex. Comment ça ?
– Venez voir notre mur des héros ! a répondu notre tornade nationale en bondissant de sa chaise.
– Le mur des zéros ? a demandé oncle Alex qui n'y comprenait rien.
– Le mur du fond, où chacun d'entre nous a collé la photo de son héros préféré, a expliqué monsieur Gauthier.
Intrigué, mon oncle a rejoint Jonathan qui lui désignait la photo où il apprend à compter en vietnamien.
– Regardez ! Vous êtes le héros d'Alice !
C'était tellement gênant… J'ai viré au rouge tomate.
– Mais c'est sympathique, a commenté oncle Alex avec un grand sourire. Tu ne m'avais rien dit, Alice !
Heureusement, Jade a fait diversion en lui demandant :
– Vous êtes déjà allé en Chine, monsieur ?
– Oui, j'y ai déjà passé quatre mois et j'ai adoré mon séjour.

– C'est mon pays d'origine !

– Et la République tchèque, vous connaissez ? l'a questionné à son tour Bohumil.

– Pas encore, a répondu oncle Alex, mais j'aimerais beaucoup découvrir l'Europe de l'Est.

La cloche a sonné. Oncle Alex nous a salués, puis il est parti. Alors que j'ouvrais mon casier, mes amis m'ont entourée.

Jonathan s'est exclamé d'un air admiratif :

– Quel aventurier, ton oncle ! Si c'était le mien, tu peux être sûre que je l'accompagnerais dans la brousse et sur les glaciers !

– C'est vrai, tu as de la chance, Alice, d'avoir un oncle si cool, a dit Karim.

– Et puis, il est super beau ! a déclaré Catherine Frontenac.

– Oh oui, tu as raison ! se sont écriées en chœur Catherine Provencher et Africa.

Bref, c'était un bel après-midi.

Quand je suis rentrée de l'école, maman était en train d'allaiter Zoé.

– Merci, ma petite maman ! ai-je dit, pas trop fort, pour ne pas faire sursauter notre bébé chéri. L'annonce que vous avez fait paraître dans le journal nous a fait vraiment plaisir, à Marie-Ève et à moi !

– Tu l'as déjà vue ? m'a-t-elle demandé d'un air surpris.

– Oui, à l'école. C'est monsieur Gauthier qui nous l'a montrée.

– Ah oui ? Moi, j'avais posé le journal ouvert à la bonne page sur ton lit, pour que tu le découvres ce soir, a raconté maman. Et la maman de Marie-Ève a fait la même chose. Tu sais, Alice, on est très heureux d'avoir des filles qui ont bon cœur. Et quelle débrouillardise ! Ton père et moi, nous avons été impressionnés par la façon dont vous avez mené votre projet. Nous tenions à le souligner. J'ai téléphoné aux parents de Marie-Ève qui étaient entièrement d'accord.

Au dessert, maman nous a servi de la mousse au chocolat. Avant de me réjouir trop vite, j'ai goûté une mini-cuillerée. Mais c'était un pur délice, sans le moindre arrière-goût de soya ! Il y a des jours comme ça, cher journal, où c'est carrément le bonheur total !

Vendredi 31 octobre

Comme c'est l'Halloween, Marie-Ève est revenue de l'école avec moi. J'ai aussi ramené Caroline, Jimmy, son amoureux, et leur copine Jessica. Le costume de fée de Marie-Ève, une longue robe bleu pâle en satin et un chapeau pointu avec un voile en tulle bleutée, lui va à merveille. Moi, je me suis déguisée en vampire, avec une cape noire et des fausses dents.

Vers 17 heures, Marie-Ève et moi, on s'apprêtait à sortir quand maman a dit :
– Attendez papa, les filles. Il ne devrait pas tarder.
– Papa accompagnera Caro, Jimmy et Jessica, ai-je rétorqué. Mais nous, on a dix ans ! On peut faire la tournée d'Halloween toutes seules.
– Pas avant le secondaire, a décrété maman.
– Oh, moumou ! l'ai-je suppliée. Monsieur Gauthier nous a rappelé les règles de sécurité ! Je te promets qu'on regardera bien avant de traverser la rue. Et qu'on ne mangera pas de friandises suspectes.
– Non c'est non, Alice ! a répliqué maman d'un ton catégorique.

Voilà ce qui arrive quand on a des petites sœurs... Maman me prend encore pour un bébé moi aussi. Ça m'énerve !

Enfin, on a fini par partir avec papa, un cochon, une princesse et un Spider-Man... On a commencé notre tournée chez madame Baldini. Elle a admiré nos costumes et nous a offert plein de bonbons.

On avait déjà une fameuse récolte quand Jimmy s'est mis à tousser.

– Il fait de plus en plus froid, a déclaré papa. On rentre.

– Oh, papa, retourne avec les petits, ai-je proposé. Marie-Ève et moi, on voudrait continuer encore un peu.

– On n'est pas des petits mais des moyens ! a déclaré Caroline-cochon d'un air offusqué.

– OK, tu retournes avec les moyens, ai-je corrigé, et nous, on revient plus tard.

– D'accord, les filles, a répondu papa. Mais soyez à 19 h 30 à la maison. Vous avez une montre ?

– Oui, a répondu mon amie.

Je n'en revenais pas ! Papa nous laissait poursuivre notre tournée à deux ! C'était tellement cool !

Rue Beauchemin, on a croisé deux sorcières, un éléphant rose et un extraterrestre. La rue Périchon, elle, était déserte. J'ai ôté mes dents de vampire pour croquer un chocolat à la menthe. Mmmm ! Quel délice !

– Il fait drôlement sombre par ici, a constaté Marie-Ève. Si on rentrait ?

– BOOOUH !

J'ai tellement eu peur que j'ai fait un de ces sauts ! Marie-Ève, elle, a lâché sa baguette magique et s'est enfuie en hurlant. Pétrifiée, je n'osais pas me retourner pour regarder qui c'était. Un grand squelette et un Frankenstein plus grand encore, avec une tête rectangulaire pleine d'affreuses cicatrices, sont apparus devant moi. Horreur absolue ! J'étais tombée dans un guet-apens !

Je me suis mise à claquer des dents. Impossible de me contrôler. Le squelette a ôté son masque. C'était Gigi Foster ! Elle a ricané :

– HA HA HA ! Je n'ai jamais vu de vampire aussi peureux ! C'est juste moi et mon cousin !

Sans réfléchir, j'ai détalé comme un lapin. À cet instant, je me suis rappelé que Gigi Foster courait beaucoup plus vite que moi. Au cours de gym, c'est presque toujours elle qui gagne lorsque madame Duval organise des courses. Je craignais qu'elle et son cousin ne me pourchassent, et continuent à m'embêter. Mais je n'ai pas osé regarder en arrière. À la place, j'ai piqué un véritable sprint. Et où était Marie-Ève ? Pourvu qu'elle ne se soit pas perdue !

Elle m'attendait au coin de la rue.

– Oh, tu es là ! me suis-je exclamée, essoufflée mais soulagée.

Je me suis retournée, mais la peste et son cousin avaient disparu.

– Ceux qui se sont amusés à nous faire peur, tu sais qui c'était ? Gigi Foster et son cousin !

– Gigi ? s'est écriée Marie-Ève. Mais elle est complètement dingue, cette fille ! J'ai failli avoir un arrêt cardiaque !

– Et moi, j'ai pensé qu'ils allaient me kidnapper, m'enfermer dans un réduit poussiéreux et me torturer, ai-je ajouté.

Il a commencé à pleuvoir. J'avais les pieds glacés, et Marie-Ève grelottait dans son costume. On a couru jusqu'à la maison. Malheureusement, mon amie ne pouvait pas rester à dormir à cause de son rendez-vous chez le dentiste, demain à 9 heures. Son père est venu la chercher. Puis, Catherine Provencher a téléphoné et m'a invitée chez elle.

– On est déjà sept de la classe ! On va regarder un film d'horreur en mangeant une montagne de pop-corn. Ça te tente de te joindre à nous, Alice ?

J'ai prétexté un début de grippe et d'otite pour échapper à ce film. En effet, j'avais déjà eu ma dose d'épouvante pour ce soir ! Ce que je voulais plus que tout, c'était me réchauffer dans un bon bain avec une BD des *Zarchinuls*. Puis, me glisser dans mon lit douillet et t'écrire, cher journal, tout en me régalant de quelques-unes des friandises récoltées ce soir. C'est ce que j'ai fait. Et, comme toujours, Grand-Cœur s'est installé sur mes pieds et les a gardés bien au chaud. Ils sont stupides, ceux qui prétendent que les chats noirs portent malheur ! Le mien, il ne m'apporte que du bonheur !

Samedi 1ᵉʳ novembre

J'étais enfermée avec Cruella dans l'école, par une nuit d'orage. Je m'étais dissimulée dans un casier qui puait les chaussures de sport. Mais TIC-TIC-TIC-TIC-TIC, elle m'a quand même retrouvée! Elle a ouvert la porte du casier et m'a fixée de ses yeux perfides.

– Alice Aubry, je t'annonce que tu as encore eu un zéro en anglais, a-t-elle déclaré, triomphante. Tu es abonnée aux zéros pour le restant de l'année. Et jusqu'à la fin des temps! HAHAHAHAHA!

À la lueur d'un éclair, j'ai remarqué qu'elle avait deux dents plus longues, comme Dracula! Elle a tendu sa main pour me tirer hors de ma cachette. Horreur absolue! J'ai poussé un cri.

Ça m'a réveillée.

Des poils ont frôlé mon visage. J'ai hurlé à nouveau.

– Miaou!

«Miaou»? Mais qu'est-ce que mon chat faisait à l'école? J'ai réalisé que je n'étais pas recroquevillée au fond d'un casier. Je me trouvais tout simplement dans mon lit. Quel soulagement! Mais l'orage, lui, était bien réel. Pas facile de se rendormir avec ce tonnerre qui déchirait le ciel au-dessus de la maison.

13 h 25: La malédiction d'Halloween se poursuit! J'ai bien cru que ma dernière heure était arrivée. Je t'explique, cher journal.

Vers 10 heures, mes parents sont partis faire des courses. Ils m'ont demandé de garder mes sœurs pendant une heure. Par prudence, maman avait prévenu madame Baldini. Notre voisine restait chez elle, ce matin. S'il y avait la moindre chose, je n'avais qu'à lui téléphoner et elle accourrait.

Dehors, la pluie cinglait les vitres. Comme on était bien à la maison en pyjama ! Caro regardait *Babe* au sous-sol. Moi, j'ai joué avec Zoé sur le tapis puis, quand elle a commencé à bâiller, je l'ai mise au lit.

– Miaou !

Grand-Cœur est venu se frotter contre ma jambe.

– Tu veux des croquettes au thon ?

Je lui en ai servi un bol, puis je me suis étendue sur le sofa avec un album des *Zarchinuls*. Je riais toute seule quand le téléphone a sonné. C'était Marie-Ève.

– Bonjour, Alice ! Je reviens à l'instant de chez le dentiste. Je peux passer chez toi ? J'ai quelque chose à te montrer.

– Oui, bien sûr, ai-je répondu.

– On part tout de suite. Ma mère va me déposer avant d'aller au supermarché.

– Je t'attends !

Quand on a sonné, j'ai couru ouvrir la porte. Mais au lieu de Marie-Ève, c'était un homme vêtu de noir. Un large capuchon cachait en partie son visage. Il s'est engouffré à l'intérieur et a claqué la porte d'entrée derrière lui. Horreur absolue ! Un voleur. Ou pire… un tueur en série ! Paniquée, j'ai reculé. M'enfuir dans ma chambre n'aurait servi à rien.

Il m'aurait tout de suite rattrapée. J'ai bredouillé :

– Mais qu'est, qu'est, qu'est-ce que vous faites ? Pourquoi vous avez refermé la porte ?

– Je viens livrer du courrier urgent pour Marc Aubry, a-t-il répondu, assez sèchement. C'est bien ici qu'il habite ?

– Oui, ai-je acquiescé.

Il m'a tendu une enveloppe matelassée.

– Si je suis entré et que j'ai refermé la porte, mademoiselle, c'est à cause du sale temps qu'il fait dehors. Je ne voulais pas refroidir votre maison. Bon, je n'ai pas de temps à perdre, moi. Signez ici.

Il m'a tendu un formulaire et un crayon. J'étais vraiment gênée. L'inconnu s'était rendu compte que j'avais eu très peur de lui ! Il est reparti en claquant la porte. J'ai immédiatement fermé celle-ci à clé. Je tremblais comme une feuille.

La sonnette a retenti à nouveau. J'ai tressailli comme si j'avais reçu une décharge électrique. D'une voix chevrotante, j'ai demandé à travers la porte :

– Qui est làààà ?

– Mais c'est moi, Alice, a répondu Marie-Ève. Qui veux-tu que ce soit ?

Encore sous le choc, j'ai ouvert la porte. J'ai raconté à ma meilleure amie ce qui venait de se passer. Elle m'a prise dans ses bras et m'a tapoté le dos (exactement comme fait papa pour réconforter notre bébé chéri pendant ses coliques).

– À ta place, je serais morte de peur ! a-t-elle affirmé.

– Mais j'étais morte de peur, ça, je peux te l'assurer !
– Regarde ! Ça va te changer les idées.

Elle m'a donné une feuille de magazine. J'ai lu le titre :

Un truc pour une chevelure de rêve

– C'est exactement ce dont j'ai besoin ! lui ai-je dit en retrouvant mon sourire.
– En feuilletant le nouveau *MégaStar,* je suis tombée sur cet article, m'a expliqué Marie-Ève. Le truc consiste à tremper ses cheveux dans la bière pendant dix minutes, avant de les laver. Il paraît que la bière contient des vitamines excellentes pour les cheveux. Tu veux qu'on essaie ?
– Pas maintenant, ai-je répondu. Mes parents vont rentrer. Je ne suis pas sûre qu'ils seraient d'accord. Mais j'essaierai un autre jour, quand je serai seule.

Dimanche 2 novembre

Ce matin, mes cheveux étaient tout raplapla. Comme d'habitude, tu vas me dire, cher journal. Mais grâce à Marie-Ève, j'étais bien décidée à contre-attaquer ! Comme la pluie avait cessé, mes parents et mes sœurs sont partis au parc après le déjeuner. Moi, j'ai glissé mon disque des Tonic Boys dans le lecteur du salon. En fredonnant *Forever and ever Forever my Love…* avec Tom Thomas, j'ai pris une bière dans le frigo. J'ai fini par dénicher l'ouvre-bouteille.

La bouteille que j'essayais de décapsuler a glissé sur le comptoir. Elle a atterri dans un grand fracas sur le carrelage de la cuisine. Oh non ! Le sol était plein de bière mousseuse et d'éclats de verre… J'ai contemplé mon dégât en soupirant. Bon, il ne me restait plus qu'à tout nettoyer.

Une fois la cuisine en ordre, j'ai réussi à ouvrir une autre bouteille de bière sans la casser. J'ai versé son contenu dans un saladier et j'y ai trempé mes cheveux. Brrr, c'était glacial ! Quelques minutes plus tard, quand je me suis redressée, j'ai décidé d'attendre ce soir pour me faire un shampooing. Comme ça, l'effet de la bière serait maximal. J'étais en train de me sécher la tête avec une serviette quand on a sonné à la porte. J'avoue que depuis hier, je me tiens sur mes gardes. Et si l'homme au capuchon noir était revenu ? Et si, cette fois, ce n'était pas pour livrer du courrier ? Pas question d'aller ouvrir !

Le cœur battant, je suis montée dans la chambre de mes parents. Cachée derrière les stores, j'ai regardé par la fenêtre. Je ne parvenais pas à voir qui c'était. L'inconnu a encore sonné. L'Halloween ne se terminerait donc jamais ?

Quelqu'un a descendu les marches du perron. Madame Baldini ! Elle s'en retournait chez elle avec un plat couvert de papier d'aluminium. J'ai failli courir pour aller lui ouvrir quand je me suis souvenue que mes cheveux étaient imprégnés de bière… Dommage, elle nous apportait certainement des biscotti encore chauds.

L'effet a été maximal, cher journal, mais pas dans le sens où je l'avais imaginé !

– Ça sent la bière ici ! s'est exclamé papa en entrant, sur le ton de l'ogre qui, dans *Le Petit Poucet,* rugit : « Ça sent la chair fraîche ! »

Il m'a demandé :

– Alice, aurais-tu bu de la bière ?

– Bien sûr que non, papa ! ai-je répondu.

Avant que j'aie pu lui expliquer la façon un peu spéciale, il est vrai, dont j'avais utilisé sa fameuse bière belge, il s'est écrié, d'un air dégoûté :

– Mais tu sens la bière, ma fille !

En désignant la bouteille vide sur le comptoir, il a explosé :

– Je t'ai prise sur le fait, Alice ! Non seulement tu bois de l'alcool en cachette, mais en plus, tu mens ! File dans ta chambre ! Et va te coiffer !

J'ai répliqué :

– Mais, papa, j'avais besoin…

Il ne m'a pas laissée finir ma phrase.

– En haut, j'ai dit ! a-t-il tonné.

Je me suis réfugiée dans ma chambre.

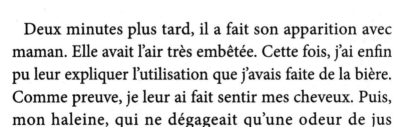

Deux minutes plus tard, il a fait son apparition avec maman. Elle avait l'air très embêtée. Cette fois, j'ai enfin pu leur expliquer l'utilisation que j'avais faite de la bière. Comme preuve, je leur ai fait sentir mes cheveux. Puis, mon haleine, qui ne dégageait qu'une odeur de jus d'orange. Enfin, je leur ai tendu l'article Un truc pour une chevelure de rêve. Mon père a marmonné des excuses. Ma mère m'a envoyée sous la douche. Finalement, mes cheveux n'ont pas plus de volume qu'avant, mais je les trouve quand même moins ternes. Alors, j'ai annoncé à mes parents que je recommencerai les bains de bière. Papa a soupiré, en levant les yeux au ciel d'un air comique:

– Oh, les filles!

– Ne te plains pas, mon chéri, lui a dit maman en me faisant un clin d'œil. Avec toutes ces filles à la maison, moi je trouve que tu es un homme gâté!

Elle a mis ses bras autour de son cou et, se hissant sur la pointe des pieds, elle lui a donné un baiser sur la bouche!

Mardi 4 novembre

Ce matin, alors qu'on entrait dans l'école, Africa s'est exclamée:

– Regarde, Alice!

Elle a désigné une lettre punaisée sur le babillard. Sur un papier à en-tête de la Croix-Rouge, il était écrit: «Un grand merci à Alice Aubry et à Marie-Ève Poirier-Letendre, deux élèves de la classe de 5e B de l'école des Érables de Montréal, pour leur collecte en faveur des victimes du tremblement de terre en Turquie. Nos remerciements aussi à tous les parents et enseignants qui y ont généreusement contribué. L'argent recueilli a été remis au comité chargé

de la reconstruction d'une école détruite par le séisme.»
C'était signé par le directeur de la Croix-Rouge.

Mon cœur s'est gonflé de fierté et d'émotion. Mes yeux, eux, se sont mouillés. Mission accomplie! Nous avions réalisé quelque chose de très concret pour aider des enfants turcs. Africa a vu mes yeux brillants de larmes. Tant pis. Avec elle, ce n'est pas gênant. D'ailleurs, elle m'a fait un sourire compréhensif et m'a dit doucement:
– C'est bien, Alice, c'est très bien.
J'ai vite frotté mes yeux et j'ai cherché Marie-Ève du regard. La voilà justement qui arrivait. Elle était en grande conversation avec Simon, Karim et Jade. Je l'ai appelée:
– Viens voir, Marie-Ève!
Après avoir lu la lettre, elle aussi était très émue.

Lundi 10 novembre

Ce matin, quand la cloche a sonné, ma meilleure amie n'était toujours pas là. Au moment où on entrait en classe, elle est arrivée en courant. Elle avait les yeux rouges.
– Qu'est-ce qui se passe? ai-je demandé, inquiète.
– Je te raconterai à la récré, a-t-elle chuchoté.
Deux heures plus tard, dans la cour, elle m'a annoncé:
– Mes parents se séparent.
Je suis restée sans voix.
– Oh! ai-je fini par dire. Mais… c'est terrible!

Sous le choc, je ne savais pas quoi ajouter. Elle a poursuivi :

– Ils me l'ont appris hier soir. C'est peut-être mieux ainsi, car ils se chicanent sans arrêt. Ils m'ont expliqué qu'ils ne s'aimaient plus depuis longtemps.

Les yeux de mon amie étaient pleins de larmes.

– Je suis vraiment désolée, ai-je dit.

À cet instant, un coup de vent glacial a détaché les dernières feuilles rouges de notre érable. Elles ont tourbillonné avant de tomber à nos pieds. Marie-Ève a frissonné. J'ai passé mon bras autour de ses épaules.

C'est une véritable épidémie, toutes ces séparations ! Dans notre classe, moins de la moitié des élèves vivent encore avec leurs deux parents. Sans compter mes cousins belges Lulu et Quentin, qui passent une semaine chez leur maman (tante Maude) et l'autre chez leur papa. Tout à coup, j'ai pensé à mes parents qui se disputent parfois, eux aussi. Pourvu qu'ils n'attrapent pas à leur tour le virus de la « séparatite » aiguë !

Mercredi 12 novembre

Quand je suis arrivée dans la cour, Marie-Ève pleurait sous l'érable.

– Tes parents se sont encore chicanés ? ai-je demandé.

– Non, a-t-elle répondu. Depuis qu'ils m'ont annoncé qu'ils allaient se séparer, ils s'évitent. Et quand ce n'est pas possible, ils font comme si de rien n'était. Mais l'ambiance est vraiment glaciale.

Mon amie s'est mouchée vigoureusement avant d'ajouter :

– Mon père a trouvé un nouveau travail à Ottawa. Il déménage là-bas dans une semaine.

– Mais… c'est très loin, Ottawa ! me suis-je exclamée. Tu ne le verras plus ?

– Si, quand même ! Je passerai une fin de semaine sur deux avec lui. Ma vie a éclaté en morceaux, Alice. Ce sera quoi, ma nouvelle vie ? Une demi-vie chez ma mère et l'autre moitié chez mon père ? Enfin, même pas la moitié ; 2/14 de vie, plutôt… C'est sûr que j'ai hâte de voir l'appartement que mon père a loué. Mais je t'avoue, je préférerais que tout ça ne soit qu'un mauvais rêve !

À l'heure du midi, en me dirigeant avec Marie-Ève vers la cafétéria, j'ai croisé Caroline qui en sortait. Je lui ai demandé si elle avait aimé la pièce de théâtre que sa classe allait voir ce matin.

– Tu parles, ça m'énerve ! a-t-elle répondu d'un air exaspéré.

– Quoi ? l'ai-je questionnée, surprise. La pièce était bête ?

– Pas du tout !

– Mais alors, c'est quoi le problème ?

Ma sœur a explosé :

– Dans le roman que j'ai emprunté à la bibliothèque, ZOÉ était une sauvageonne qui vit avec les loups. Dans mon manuel de lecture, ZOÉ est une aventurière formidable. Et devine comment s'appelait la chef des pirates dans la pièce de théâtre ? ZOÉ ! Notre bébé, on aurait plutôt dû l'appeler BACHI-BOUZOUK ! Les auteurs manquent vraiment d'imagination ; il n'y en a pas un seul qui pense, pour faire changement, à appeler son héroïne Caroline !

Ma sœur était à nouveau en pleine crise de jalousie ! Mais elle n'avait vraiment pas choisi le bon moment... Tout le monde nous bousculait. Marie-Ève avait disparu dans la cohue.

– Écoute, Caro, ai-je dit, on en rediscutera à la maison.

Puis, prise d'une soudaine inspiration, j'ai ajouté :

– Si un jour j'écris une histoire, j'appellerai mon héroïne Caroline !

– C'est vrai ? a-t-elle demandé.

Emportée par le flot des 6e qui se ruaient à leur tour vers la cafétéria, j'ai crié :

– Je te le jure !

Mercredi 19 novembre

Depuis une semaine, je passe mes soirées avec Marie-Ève au téléphone. Soutenir sa meilleure amie dans les épreuves difficiles, ça me semble la moindre des choses. Ce matin, quand elle est arrivée à l'école, j'ai vu qu'elle avait encore pleuré.

– Il y a des caisses partout dans l'appartement, m'a-t-elle raconté. Mon père déménage demain. Tu t'imagines, Alice, il ne rentrera plus le soir...

En prononçant ces mots, elle a été secouée de sanglots.

Tout à coup, je me suis souvenue de ces photos de Marie-Ève et de moi qu'oncle Alex a prises, l'autre soir, pendant l'exposition. Je me suis dit que ce serait super d'offrir une belle photo de nous deux à mon amie. Ça lui rappellerait qu'au moins, nous, on est inséparables. Un seul hic : oncle Alex est-il encore à Montréal ou bien se trouve-t-il à nouveau à l'autre bout du monde ?

En rentrant de l'école, je me suis précipitée sur le téléphone. Je suis tombée sur son répondeur : « Bonjour, vous êtes bien chez Alex Aubry. Je serai au Chili du 18 novembre au 23 décembre. Laissez-moi un message. Je vous contacterai dès mon retour. »

J'ai raccroché. Quelle malchance ! Il est parti hier…

Il fallait que je trouve autre chose pour Marie-Ève. Comme ma tirelire était vide, j'ai demandé à maman de me prêter cinq dollars. Au dépanneur, un joli porte-clés en forme de cheval a attiré mon attention. Mon amie adore les chevaux ! Il me restait assez d'argent pour m'acheter une tablette de chocolat à la menthe. Juste avant de passer à la caisse, j'ai eu une idée. Et j'ai changé mon chocolat préféré contre du chocolat blanc.

Ce soir, j'ai cherché le Chili sur ma carte du monde. J'ai fini par repérer ce pays, une longue bande verticale en Amérique du Sud, le long de l'océan Pacifique. Au moment où j'y plantais une punaise rouge, papa est arrivé dans notre chambre pour border Caroline. Puis, ça a été au tour de maman. Elle est repartie en vitesse parce que les coliques de notre bébé chéri ne s'arrangent pas du tout ! Dès qu'on s'est retrouvées seules, j'ai demandé à ma sœur :

– Quelle main tu veux ?

– La gauche ! a répondu Caro sans hésitation.

Je lui ai tendu le chocolat.

– C'est pour nous deux.

– Oh, Alice, du chocolat blanc, mon préféré ! Merci ! Tu es gentille !

Elle a poussé sa collection de cochons pour me faire une place près d'elle. Moi, j'ai éteint la lumière du plafond et allumé ma lampe de chevet. On a grignoté le chocolat, carré par carré. Et quand Caroline s'est endormie, cher journal, je me suis installée à mon bureau pour te raconter ma journée.

Jeudi 20 novembre

Hier soir, j'étais en train de m'endormir quand une idée affreuse m'a tout à coup frappée. BANG ! Et si la maman de Marie-Ève décidait de déménager dans un appartement plus petit et moins cher ? Et si ce nouveau logement était situé dans un autre quartier ? Et si, du coup, Marie-Ève était obligée de changer d'école ? Je ne veux pas perdre ma meilleure amie ! Avec des idées pareilles dans la tête, plus moyen de trouver le sommeil. Comme je n'arrêtais pas de me tourner et de me retourner dans mon lit, mon chat, couché à mes pieds, a fini par s'en aller.

Bien entendu, ce matin, je n'ai pas parlé de mes craintes à Marie-Ève. Elle n'a peut-être encore jamais pensé à cette éventualité. Pas question de l'angoisser davantage ! Par contre, je lui ai offert le porte-clés que j'avais choisi pour elle.

– C'est pas grand-chose, lui ai-je expliqué. Mais je voulais que tu saches que toi et moi, on est amies pour la vie.

– Ça, j'en suis persuadée, et c'est précieux ! a-t-elle répondu, visiblement émue. Un grand merci, Alice ! Ton cheval sera mon porte-bonheur. Chaque fois que je le verrai, je me rappellerai que, quoi qu'il arrive, je ne suis pas seule. Ça fait du bien d'avoir une amie comme toi sur qui je peux toujours compter !

Plus tard, alors qu'elle venait d'entrer dans la classe, Cruella m'a lancé :

– Alors, Alice Aubry, on bâille ? Si tu comptais dormir pendant le cours d'anglais, ma fille, détrompe-toi ! Le contrôle va te réveiller.

Premièrement, je ne suis pas sa fille ! Deuxièmement, trop préoccupée par ce qui arrive à Marie-Ève, j'avais complètement oublié ce fichu contrôle ! Je n'avais pas revu le moindre verbe irrégulier...

J'ai répondu de mon mieux aux questions, c'est-à-dire la plupart du temps au hasard. Tant pis ! Pour le moment, cher journal, je t'assure que l'anglais est le dernier de mes soucis ! Tout ce que j'espère, c'est que ma meilleure amie ne tombe pas malade. Elle ne semble même plus faire attention à Simon. Du coup, le pauvre a l'air malheureux lui aussi. Ah, l'amour...

Vendredi 21 novembre

Ce matin, sur le chemin de l'école, il a commencé à neiger. Les premiers flocons! C'était tellement cool! Ma sœur a couru la bouche ouverte pour les attraper.

– Et alors? ai-je demandé à Marie-Ève en la rejoignant quelques minutes plus tard sous l'érable.

– Mon père est parti pour de bon, a-t-elle raconté. Mais en même temps, je ne le réalise pas encore. À part ses vêtements, ses disques, son saxophone et ses skis, il n'a rien emporté. Ma mère prétend que ça coûterait trop cher de transporter des meubles à Ottawa. Mais moi, je crois qu'il a laissé tout ça pour moi. Il voulait que l'appartement ait l'air comme d'habitude.

Mon amie avait la tête basse. J'ai tenté de l'encourager en disant:

– C'est vraiment gentil de sa part, je trouve.

À la récré, la cour d'école était déjà toute blanche. Simon est venu partager ses chips barbecue avec nous. Mmmm, ce sont mes chips préférées! Catherine Provencher est arrivée à son tour.

– Je peux en avoir, moi aussi?

Simon lui a donné une poignée de chips avant de se retourner vers Marie-Ève.

– Comment ça va? lui a-t-il demandé.

– Un peu mieux. Mais ce n'est pas facile.

– Je te comprends, a dit Simon. Mes parents ont divorcé l'an dernier. Au début, j'ai pensé que c'était la fin du monde. Puis, petit à petit, je me suis habitué à ma nouvelle vie. C'est bizarre mais, maintenant, mon père et ma mère s'entendent beaucoup mieux qu'avant. Je souhaite que tes parents deviennent eux aussi de bons amis.

– Ça m'étonnerait ! a répondu Marie-Ève. Enfin, on ne sait jamais… On peut toujours rêver. En tout cas, je te remercie, Simon. Tu es vraiment gentil de me réconforter.

Elle lui a fait un beau sourire, le premier depuis dix jours. Victoire ! Les flocons de neige tourbillonnaient joyeusement autour de nous.

– Simon, viens ! a appelé son ami Bohumil. On va faire une bataille de boules de neige avec Karim, Eduardo et les autres.

– J'arrive ! a crié Simon. Vous venez aussi, les filles ?

En un rien de temps, les équipes se sont formées. Jusqu'au moment où la cloche a sonné, la 5e B au grand complet a fait une de ces batailles mémorables de part et d'autre de notre érable.

Mercredi 26 novembre

Patrick a reçu un galet ce matin. Et Éléonore cet après-midi. Notre coffre aux trésors déborde à nouveau.

– Monsieur ! a dit Africa en levant la main.

– Oui ?

– Au début de l'année, vous nous aviez promis un spectacle de magie. Chaque fois qu'on a droit à un privilège, j'espère très fort que vous allez enfin nous présenter vos tours…

Monsieur Gauthier a réfléchi un instant.

– Écoute, Africa, comme tu me le demandes si gentiment, c'est d'accord.

– COOOOOL ! avons-nous tous crié en chœur.

Moi aussi, cher journal, j'ai hâte de voir notre prestidigitateur à l'œuvre !

Jeudi 27 novembre

Un magicien imposant, en habit noir, chemise blanche et haut-de-forme, nous a accueillis dans la classe.

– Bonjour, les amis. Avez-vous envie d'assister à des tours extraordinaires ?

– Ouiiiiiii ! avons-nous répondu, surexcités.

D'une mallette, il a sorti un œillet rouge qu'il a placé à sa boutonnière. Puis une baguette noire. Et abracadabra, c'était parti ! Il y a eu le Joker qu'il retrouvait toujours parmi les cartes qu'on mélangeait nous-mêmes ! Des allumettes qui s'enflammaient d'un coup de baguette ! Un foulard multicolore qui disparaissait et réapparaissait là où on s'y attendait le moins… dans notre coffre aux galets puis dans mon sac d'école. Je n'en croyais pas mes yeux ! J'avais beau les écarquiller, pas moyen de deviner les trucs. Africa, elle, semblait carrément hypnotisée. Même Jonathan était si captivé que, pour une fois, il restait tranquille.

Ensuite, monsieur Gauthier a sorti une longue corde de sa mallette.

– J'ai besoin d'un volontaire, a-t-il annoncé.

Jonathan, jamais immobile très longtemps, a bondi devant lui.

– Assieds-toi sur ma chaise, lui a demandé le magicien.

Puis, il l'a attaché solidement avec la corde.

– Qui veut défaire le nœud ?

Africa, Eduardo et Gigi Foster ont eu beau essayer, ils ont finalement dû renoncer. À ce moment, la porte de la classe s'est ouverte. Cruella ! Il était 9 h 30, l'heure du cours d'anglais !

Interloquée, elle s'est adressée à monsieur Gauthier :

– Qu'est-ce que c'est que cet accoutrement, monsieur ? Vous vous croyez au cirque ?

– Je fais de la magie, a répondu calmement notre enseignant. Mes élèves avaient mérité une pause.

– De si bon matin ! s'est étouffée Cruella. On aura tout vu !

Moi, j'aurais voulu que, d'un coup de baguette, monsieur Gauthier la fasse disparaître à tout jamais !

Cruella a levé le nez et a humé l'air.

– Ma parole, ça sent la fumée ! a-t-elle constaté.

Elle est entrée dans la classe en contournant monsieur Gauthier. C'est alors qu'elle a aperçu Jonathan ligoté sur la chaise… Puis, la boîte d'allumettes sur le bureau du prof… Scandalisée, elle a tourné les talons. Notre enseignant l'a suivie dans le couloir. On l'entendait qui tentait de lui expliquer la situation. Mais elle a refusé de l'écouter.

Quand monsieur Gauthier est réapparu, le prisonnier l'a supplié d'un air comique:

– Dépêchez-vous de me délivrer, m'sieur! Je dois aller faire pipi.

On a éclaté de rire!

– Puisqu'il y a une urgence, je vais utiliser les grands moyens, a déclaré notre enseignant.

Touchant la corde de sa baguette, il a prononcé:

– Abracadabra, nœud, gros nœud, défais-toi!

– Marie-Ève, tu viens libérer Jonathan? lui a-t-il demandé.

Sceptique, mon amie s'est approchée. Elle a tiré sur le bout de la corde... qui s'est défaite comme par magie. Incroyable! On a tous applaudi très fort. Sauf Jonathan, qui a filé aux toilettes.

– Bravo! Bravo! a crié Africa en se levant de sa chaise.

Notre magicien nous a salués en s'inclinant.

– Et maintenant, je cède la place à madame Fattal, a-t-il dit en la voyant arriver, suivie par monsieur Rivet.

– Bonjour, monsieur Gauthier, a dit notre directeur. Madame Fattal se plaint que vous l'empêchiez de donner son cours. Elle m'a aussi expliqué qu'il se passe de drôles de choses dans votre classe.

Notre enseignant a commencé par dire qu'il était sincèrement désolé d'avoir empiété de quelques minutes sur le cours d'anglais. Puis, il a parlé au directeur de nos privilèges et de l'heure magique qu'on venait de passer ensemble.

– Dans le feu de l'action, j'ai tout simplement oublié de regarder ma montre, a-t-il précisé.

– Ah, je comprends ! a répondu monsieur Rivet, visiblement soulagé. Vos élèves ont bien de la chance, monsieur
Gauthier ! D'ailleurs, je constate que leurs notes sont en
hausse. Alors, continuez comme ça, les 5ᵉ B !

Cruella était furieuse. Elle s'est empressée de distribuer
les contrôles. J'ai eu 3/10… Comme tu peux te l'imaginer,
cher journal, mes parents n'étaient pas très contents !
Même si le contrôle est passé, papa a exigé que j'apprenne
les verbes irréguliers par cœur. Il m'interrogera dimanche.
Joyeux programme en perspective…

Samedi 6 décembre

Depuis vendredi soir, je n'arrête pas de penser à Marie-Ève. C'est la première fois qu'elle va chez son père. Pourvu que tout se passe bien!

Zoé n'a jamais tant hurlé que ce soir. Si ça continue, on va tous devenir sourds comme des pots! Heureusement, Caro dort chez sa copine Jessica! J'ai aidé mon père à faire la vaisselle. Quand on a eu fini, maman, excédée, a tendu notre sirène d'alarme à papa. Celui-ci a commencé à la bercer, de plus en plus vigoureusement, et il s'est mis à chanter une chanson très rythmée de quand il était scout:

Le ciel est bleu, réveille-toi
C'est un jour nouveau qui commence
Le ciel est bleu, réveille-toi
Les oiseaux chantent sur les toits.

Zoé s'est arrêtée net de pleurer. Quel miracle! Deux minutes plus tard, elle dormait! Fiouuu! Bon, moi aussi je vais en profiter pour faire dodo!

Dimanche 7 décembre

19 h 37: Il y a dix minutes, n'y tenant plus, j'ai appelé ma meilleure amie. Elle devait sans doute être revenue chez sa mère.

– Allô?

– Salut, Marie-Ève! Ça s'est bien passé? lui ai-je demandé. Et l'appartement de ton père, il est comment? Et ta chambre?

– Oh! bonsoir, Alice! Je vais tout te raconter. Vendredi, ma mère est venue me chercher au service de garde. Dans l'auto, il y avait ma petite valise. J'y avais attaché ton porte-bonheur pour me donner du courage. Mes parents s'étaient donné rendez-vous à 18 h 30, à mi-chemin entre Montréal et Ottawa. Je ne me rappelle plus le nom du village, Saint-Machin-Chose… Enfin, peu importe, on s'est retrouvés dans le stationnement d'un petit centre commercial. J'avais l'impression que ça faisait une éternité que je n'avais pas vu mon père. Quand il m'a serrée dans ses bras, j'ai dû faire un gros effort pour ne pas éclater en sanglots. Heureusement, il n'a pas dit une seule fois du mal de ma mère de toute la fin de la semaine. Parce que ça, je ne l'aurais pas supporté. Son appartement est vraiment petit. Je dors sur le futon du salon. Ce soir, ma mère était à l'heure au rendez-vous, à Saint-Machin-Chose. Mais quand même… passer ma vie avec ma valise entre deux villes et deux appartements, je ne sais pas si je m'y habituerai…

Lundi 15 décembre

– La fin de l'année approche, a déclaré monsieur Gauthier en nous accueillant ce matin. Mardi prochain, les amis, c'est déjà le dernier jour d'école avant les vacances de Noël. Pour l'occasion, j'aimerais organiser une fête tropicale avec vous. Vous vous habillerez avec des vêtements d'été sous votre habit de neige. D'accord ? Et avez-vous envie qu'on fasse un échange de cadeaux ?

– Ouiiii !

– Parfait. Dans ce cas, ils doivent être fabriqués par vous ou coûter moins de cinq dollars.

Il a pris le petit sac rouge qui contenait nos noms et l'a tendu à Gigi Foster en lui disant :

– C'est toi qui commences. Prends un carton. Le nom que tu liras sera celui de l'élève à qui tu offriras un cadeau. Bien entendu, ça doit rester un secret.

– Et vous monsieur, a demandé Jade, vous participez à l'échange de cadeaux ?

– Je n'y avais pas pensé, a-t-il répondu. Mais oui, pourquoi pas ? Allez, j'ajoute mon nom dans le sac.

– J'ai pigé mon nom, a annoncé Gigi Foster d'un air dépité.

Patrick a pouffé de rire.

– Tu emballeras ton propre cadeau et tu te le donneras à toi-même ! lui a-t-il lancé.

– N'écoute pas ce farceur, Gigi, a répondu monsieur Gauthier. Prends tout simplement un autre nom et remets le tien dans le sac.

J'espérais que cette fille ne tomberait pas sur mon nom. Ni moi sur le sien, d'ailleurs. Quand mon tour est arrivé, j'ai plongé ma main dans le sac et j'ai lu… *Julien Gauthier*. Cool !

– Tu en as de la chance ! a répondu Marie-Ève quand je lui ai appris que j'étais celle qui offrirait un présent à notre enseignant. Moi, c'est à Bohumil Topolanek que je dois faire une surprise. Je ne sais vraiment pas quoi lui donner.

– J'ai une idée ! ai-je déclaré. Un cahier de sudoku.

– Tu penses qu'il aime le sudoku ?

– Les chiffres le passionnent, alors à mon avis, ça va vraiment lui plaire !

– Tu as raison, Alice ! Et je choisirai un cahier de niveau expert, sinon ce sera beaucoup trop facile pour lui.

Maman, à qui j'ai parlé de mon cadeau pour monsieur Gauthier, m'a suggéré de lui acheter un livre. Pas question ! Elle, elle offre toujours des livres. Mais moi, je veux trouver quelque chose de plus original !

Mardi 16 décembre

Depuis hier, Caroline se plaint d'avoir mal au dos quand elle avale. Maman pensait que c'était un prétexte pour ne pas manger sa viande et ses brocolis. En effet, la bouteille de ketchup était vide… Mais ce matin, ma sœur n'a presque rien mangé non plus. Alors maman l'a emmenée chez docteure Séguin. Celle-ci a expliqué que le bas de la gorge est voisin du haut du dos. Le mal de dos de ma sœur peut donc tout simplement être causé par une infection à la gorge. La médecin a fait un test pour vérifier s'il y a des microbes. Sa secrétaire communiquera les résultats demain. En attendant, ma sœur est anormalement tranquille. À 19 heures, elle était déjà au lit.

Je lui ai demandé :

– Ça va ?

Elle a répondu :

– Oui…, d'un air peu convaincant.

Deux minutes plus tard, elle dormait au milieu de ses cochons.

Mercredi 17 décembre

Le problème de mon cadeau à monsieur Gauthier n'est toujours pas résolu. Celui de la maladie de ma sœur non plus d'ailleurs. En rentrant de l'école, je l'ai trouvée sagement assise sur son lit, en train de lire. La secrétaire de docteure Séguin avait téléphoné : le test était négatif. Caroline n'a donc rien à la gorge.

Pour l'encourager, je lui ai dit :

– C'est déjà une bonne nouvelle. Mais, qu'est-ce que tu as alors ?

Elle a haussé les épaules.

– Si je te le dis, tu me jures que tu ne le répéteras à personne ? a-t-elle chuchoté.

J'étais stupéfaite.

– Comment ça ? Tu sais ce qui ne va pas ?

– Oui, a-t-elle répondu en me regardant droit dans les yeux. Sauf que si tu en parles, je ne te ferai plus jamais confiance ! JAMAIS !

Bon, au moins, je retrouvais ma vraie sœur!

– Mais qu'est-ce qui se passe, Caro? l'ai-je questionnée, vaguement impatiente. Tu ne fais tout de même pas la grève de la faim?

Avec ma sœur, il faut s'attendre à tout.

– Jure-moi d'abord que tu ne diras rien! a-t-elle répété.

– Même pas aux parents?

– Surtout pas à eux!

– Pourquoi tu ne leur en parles pas si c'est sérieux?

– Parce que. Et puis, tu commences à m'énerver avec tes questions!

Si je continuais à l'interroger, elle risquait de ne plus se confier à moi. Résignée, j'ai dit solennellement:

– OK, je jure de ne rien dire!

– Voilà, j'ai avalé un papillon, a avoué ma sœur.

Éberluée, je l'ai dévisagée.

– Un papillon?! En hiver? Mais ce n'est plus la saison des pap…

– T'es bête, pas un vrai! m'a interrompue Caroline comme si ça allait de soi. Un papillon en métal.

– Comment ça, un papillon en métal? Où l'as-tu trouvé? Et d'abord, quelle idée de l'aval…

Ma sœur n'a pas pu m'en dire davantage, car papa nous a appelées.

– À table, les filles!

Même si maman avait racheté une grande bouteille de ketchup, Caro n'a pas voulu manger de pâté chinois, un des seuls plats qu'elle aime, pourtant. Elle n'a accepté qu'une toute petite boule de crème glacée. Je voyais bien qu'avaler lui demandait un effort suprême. J'avais tellement hâte de me retrouver à nouveau seule avec elle! Après le souper, papa m'a aidée à résoudre des problèmes de maths hyper compliqués. Quand j'ai enfin eu terminé mes devoirs, Caroline, elle, se trouvait dans son bain... Bref, je bouillais d'impatience. J'ai commencé à écrire dans mon journal. Mes parents sont venus dire bonne nuit à ma sœur. Et puis, enfin, je l'ai rejointe dans son lit.

– Tes cochons prennent toute la place. Tu m'en fais une petite?

Et là, Caroline m'a tout raconté:

– Lundi, pendant la récré, j'ai aperçu quelque chose qui brillait de l'autre côté de la grille de la cour. C'était un pendentif argenté en forme de papillon. Il était très beau. Je me suis penchée, j'ai passé ma main sous la grille et je l'ai ramassé. Au moment où j'allais le glisser dans la poche de mon manteau, je me suis rappelé qu'elle était percée. Alors, pour ne pas perdre le bijou, je l'ai mis dans ma bouche...

– Dans ta bouche! n'ai-je pu m'empêcher de m'exclamer en grimaçant. BEURK!

Ma sœur m'a menacée:

– Si tu m'interromps encore une fois, j'arrête.

– Bon, d'accord, ai-je soupiré. Continue!

– Mais quand j'ai avalé ma salive, le papillon est descendu avec.

QUOI?! Ça faisait deux jours et demi qu'elle avait un objet en métal coincé dans la gorge!

– C'est très grave ! ai-je déclaré. Il faut absolument en parler à papa et maman !

– Pas question ! a-t-elle rétorqué d'un air de défi. Tu m'as promis !

Quelle tête de mule ! Je lui ai tenu la main jusqu'à ce qu'elle s'endorme. Ma sœur, elle est du style BING BANG BOUM et, en plus, je la trouve souvent envahissante. Mais ce soir, je réalise combien je tiens à elle. Cher journal, je me sens mal avec ce secret. Très mal, même. Je ne sais pas ce que je dois faire.

Jeudi 18 décembre

Marie-Ève et moi, on est arrivées en même temps à la grille de l'école.

– Alice, si jamais tu ne sais toujours pas quoi offrir à monsieur Gauthier, j'ai pensé à quelque chose ! s'est-elle exclamée.

Il faut avouer qu'avec les problèmes de Caroline, cette histoire de cadeau m'était complètement sortie de la tête...

– Hein, quoi ? ai-je demandé.

Marie-Ève a extrait le nouveau *MégaStar* de son sac d'école. Elle l'a ouvert et m'a mis la page 108 devant les yeux.

– Regarde !

J'ai lu le titre de l'article :

– *Lola Falbala, la découverte de l'année !*

– Non, s'est impatientée Marie-Ève. Pas le reportage sur cette chanteuse inconnue, l'autre page !

J'ai lu, en grosses lettres :

OFFREZ UN TEE-SHIRT PERSONNALISÉ

Il s'agissait d'une publicité.

– On choisit la couleur du tee-shirt, la taille et le texte qu'on veut y faire imprimer, a expliqué Marie-Ève. Ensuite, on commande par téléphone. Livraison gratuite en deux jours. Tu pourrais faire inscrire un truc super dessus.

– Bonne idée, ai-je dit d'un ton mécanique.

– Tu n'as vraiment pas l'air en forme, Alice, a constaté mon amie. Tu es malade ?

– Moi non, mais Caroline oui, ai-je répondu, le cœur serré.

La cloche a sonné. J'aurais tant voulu me confier à ma meilleure amie ! Je n'aurais jamais dû promettre à ma sœur de garder son secret. En me dirigeant vers l'escalier, j'avais l'impression de peser une tonne.

Cet après-midi, j'ai montré la publicité à maman. Elle est d'accord pour le tee-shirt.

– Pour la taille, je pense prendre du XXXL. Tu crois que ce sera assez grand ? lui ai-je demandé.

Maman m'a regardée avec un air ahuri. Elle ne pouvait pas comprendre, car elle n'avait jamais vu mon enseignant !

– Tu plaisantes, Alice ? C'est gigantesque ! s'est-elle exclamée.

– Alors, c'est exactement ce qu'il faut pour monsieur Gauthier ! ai-je conclu, rassurée.

J'ai donc commandé le tee-shirt en bleu ciel. Sur le dos, j'ai fait inscrire : *100 % COOL !* Bon, voilà un problème de résolu. Mais le problème n° 2, lui, reste entier.

Vendredi 19 décembre

Cette nuit, un papillon géant volait derrière ma fenêtre. Il battait si fort des ailes qu'il est parvenu à casser le carreau. CLINGUELINGUELING, les débris de vitre sont tombés à l'intérieur de la chambre. Le papillon m'a fixée et m'a annoncé d'une voix métallique :

– Je suis venu chercher ta sœur.

Caroline était étendue sur son lit, les yeux fermés. Soudain, comme par magie, elle s'est élevée dans les airs. Elle est venue se déposer sur les ailes du papillon. J'aurais voulu bondir pour la retenir ! Mais pas moyen de bouger ; j'étais paralysée. Le papillon a ricané. Il s'est envolé par la fenêtre brisée, emportant ma sœur inanimée sur son dos. J'ai hurlé :

– CAROOOO !

Je me suis réveillée en sueur. J'ai allumé ma lampe de chevet. Pas de traces de verre sur le plancher. Ma sœur semblait dormir. Par acquis de conscience, je me suis levée, j'ai délicatement soulevé sa couette et j'ai écarté Naf-Naf, Betty et compagnie. J'ai posé mon oreille sur la poitrine de

Caroline, par-dessus son pyjama. Son cœur battait régulièrement. Ouf! Quel soulagement!

La porte de la chambre s'est ouverte.

– C'est toi qui as appelé, Alice? a chuchoté papa. Mais que fais-tu debout? Tu es malade, toi aussi?

– J'ai fait un affreux cauchemar! ai-je répondu.

– Va boire un verre d'eau puis recouche-toi. Il est 3 heures du matin.

Bref, aujourd'hui, cher journal, je suis crevée. Sans compter que mon cauchemar est loin d'être terminé! Ce matin, au petit déjeuner, Caro n'a encore mangé qu'un peu de crème glacée. Je n'ai presque rien avalé moi non plus. Ce qui n'a pas manqué d'alerter maman.

– J'espère que tu n'as pas attrapé le mal mystérieux de ta sœur!

Je suis malade, oui. Malade de me sentir tiraillée entre la certitude que je devrais tout raconter à mes parents et le fait que Caro m'oblige à me taire. J'en ai des crampes au ventre. Au souper, papa a déclaré:

– Écoute, Astrid, ça ne peut plus durer! Je pensais qu'une maladie allait se déclarer et qu'on se retrouverait avec des filles brûlantes de fièvre ou couvertes de boutons. Mais la situation n'évolue pas. Je les emmène à l'urgence.

À l'hôpital, on était assis tous les trois à côté d'un sapin de Noël, parmi des tas d'enfants qui toussaient. Les guirlandes lumineuses qui clignotaient me donnaient mal à la tête. Quand notre tour est enfin arrivé, papa a résumé la situation au médecin. Celui-ci a ensuite questionné Caro. Il lui a demandé si elle avait avalé quelque chose. Ma sœur a fait non de la tête.

« Oh, si au moins elle disait la vérité, on pourrait la soigner... », ai-je pensé en regardant le visage obstiné de ma sœur.

Le médecin a examiné Caroline. Puis, il dit :

– Bizarre ! Pourtant, il doit y avoir un blocage à un endroit bien précis du système digestif. Je veux en avoir le cœur net. J'envoie votre fille passer une radiographie.

Puis, il m'a examinée à mon tour. Il m'a fait tirer la langue. « Aaaah... » Après avoir écouté mon cœur à l'aide de son stéthoscope, il s'est tourné vers papa :

– Jusqu'à preuve du contraire, il ne s'agit pas d'une maladie contagieuse. Je pense que votre aînée est inquiète parce que sa petite sœur ne va pas bien.

Ça oui, j'étais inquiète, et avec raison ! Lui, au moins, il avait tout de suite compris !

On s'est retrouvés au premier étage. La salle d'attente était vide. Un monsieur s'est présenté :

– Bonjour, je suis le technologue en radiologie. Caroline, tu viens avec moi ? On va faire les radios dans le local à côté pour voir l'intérieur de ton corps.

Papa et moi, on est restés seuls. La mort dans l'âme, je m'apprêtais à tout lui dévoiler et à trahir ma sœur. Mais juste à cet instant, on a entendu la voix du technologue derrière la cloison. J'ai tendu l'oreille. Il expliquait à ma sœur ce qu'il était en train de faire. Puis, il a raconté :

– Tu sais, Caroline, quand j'étais petit, je mettais toutes sortes de choses dans ma bouche. Parfois, je les avalais sans faire exprès. Ça t'est déjà arrivé, à toi ?

Je retenais mon souffle. Au bout d'interminables secondes, Caro a fini par répondre :

– Oui.

– Ah, ça t'est arrivé à toi aussi ! a poursuivi le technologue. Moi, un jour, j'ai avalé une pièce de 25 sous. Et toi, qu'est-ce que tu as avalé ?

– Un bijou.

Papa, qui avait entendu lui aussi, m'a regardée, stupéfait.

Pendant ce temps, le technologue a continué à s'informer d'une voix calme :

– Et ça s'est passé quand ?

– Lundi, a répondu Caro.

Papa m'a secoué le bras :

– Ta sœur, elle a avalé quelque chose !

– Oui, ai-je dit en baissant la tête.

– Comment ça, Alice ! Tu étais au courant ? a fait papa, les yeux écarquillés.

Alors là, je n'en pouvais plus ! J'ai éclaté en sanglots. Peu après, le technologue nous a appelés. Il nous a montré la radiographie sur l'écran de l'ordinateur. À travers mes larmes, j'ai distingué un grand papillon coincé dans une espèce de tuyau vertical.

– Regardez monsieur, l'œsophage de votre fille est bloqué par un bijou qu'elle a avalé, a expliqué le technologue. Attendez-moi ici, s'il vous plaît. Je vais chercher un médecin.

Papa a demandé à Caroline:

– Pourquoi tu ne nous as rien dit?

– Je sais bien qu'il ne faut pas mettre des objets dans la bouche, a répondu ma sœur en haussant les épaules. J'avais pas envie de passer pour un bébé.

– Mais d'où vient ce pendentif, et pourquoi l'as-tu mis dans ta bouche, justement? Tu n'as plus l'âge de Zoé tout de même!

Caroline a baissé la tête et elle a raconté à papa ce qu'elle m'avait confié il y a deux jours.

Le technologue est revenu avec un médecin. Celui-ci a observé attentivement la radiographie. Puis, il s'est adressé à papa.

– Votre fille doit bouger le moins possible. Si ce papillon se déplace et descend dans les intestins, il risque de les perforer. Cela pourrait mettre sa vie en danger. Nous allons garder Caroline à l'hôpital. Je vais l'opérer demain matin à la première heure.

Il a observé une nouvelle fois la radiographie d'un air pensif. Comme s'il se parlait à lui-même, il a ajouté:

– Comment va-t-on faire pour enlever ça?

Après un temps de réflexion, il a expliqué :

– Il s'agit d'un objet dur avec des bouts pointus. Voici les deux scénarios possibles. Je réussis à sortir le bijou par la bouche en égratignant l'œsophage au passage. Il est alors probable que Caroline parlera avec une voix grave pendant quelque temps. Mais c'est un inconvénient mineur, et je vais tout tenter pour que cette solution-là fonctionne. Mais si ce papillon est réellement bloqué dans l'œsophage, je serai alors obligé de pratiquer une intervention beaucoup plus lourde pour aller le chercher.

– C'est-à-dire ? a demandé papa

– Je vais devoir ouvrir l'œsophage, a précisé le médecin.

Papa était atterré. Il est allé téléphoner à maman.

Ma sœur ne pleurait pas. Impassible, elle regardait droit devant elle. Je n'ai pas osé la serrer contre moi. J'avais bien trop peur que ce papillon maléfique se déplace dans son corps ! Alors j'ai pris sa main dans la mienne et je lui ai murmuré à l'oreille :

– Je t'aime, Caro. Courage !

Elle a planté ses yeux dans les miens et elle m'a dit :

– Merci, Alice. Tu sais, t'es une vraie sœur. Tu n'as rien dit à personne. Et ça, je ne l'oublierai jamais.

Ça m'a fendu le cœur. Mes larmes ont recommencé à couler. Une infirmière est arrivée avec une civière. Papa, qui était revenu, a couché ma sœur dessus avec d'infinies précautions.

– Je vais reconduire Alice à la maison et je reviens tout de suite, mon chaton, lui a-t-il dit.

Dans l'auto, j'ai demandé à papa :

– Ouvrir l'œsophage, ça veut dire le couper ?

– Oui, et ça doit être une opération délicate.

Horreur absolue ! On allait peut-être faire ça à ma sœur !

En arrivant à la maison, j'ai eu une idée. Pendant que mes parents discutaient dans l'entrée, je suis allé chercher Nouf-Nouf dans la chambre.

– Tiens, papa, ça aidera Caroline à s'endormir, lui ai-je dit, en lui tendant le cochon en peluche.

Et il a filé à l'hôpital.

Maman est allée coucher Zoé. Quand elle est redescendue, je me suis jetée dans ses bras. J'ai pleuré, pleuré. De peur, mais aussi de soulagement, car je ne devais plus porter ce terrible secret. On allait enfin pouvoir faire quelque chose pour sauver ma sœur !

Maman a éteint toutes les lampes sauf le petit abat-jour du salon. Elle s'est assise sur le sofa. J'ai posé ma tête sur ses genoux. Pendant qu'elle me caressait les cheveux, je lui ai raconté ce que j'avais vécu depuis mercredi soir.

– Les secrets entre sœurs, c'est formidable ! a convenu maman qui a une sœur elle aussi. Mais une prochaine fois, Alice, si l'une de vous deux a des ennuis, promesse ou pas, il faut absolument nous en parler !

Plus tard, elle est venue me souhaiter une bonne nuit. Ça me faisait tout drôle que le lit d'à côté soit vide. Et que Caroline ne dorme pas chez Jessica mais à l'hôpital.

– Oh, maman, pourvu que le chirurgien réussisse ! me

suis-je exclamée avec ferveur. Je voudrais tant qu'il ne doive pas opérer l'œsophage de Caroline !

– Espérons-le, Alice ! a dit maman. Mais je suis confiante. Ta sœur se trouve en bonnes mains. On va penser très fort à elle en s'endormant pour que tout se passe pour le mieux. D'accord ? Ah, j'allais oublier ! J'ai une bonne nouvelle à t'annoncer ! Elle concerne ton autre sœur. Imagine-toi que ce soir, notre Zoé n'a pas du tout pleuré. Elle a trois mois maintenant, et je crois que ses coliques sont bel et bien terminées ! Bon, maintenant, il faut dormir, ma biquette. Une grosse journée nous attend demain.

– Miaou…

Grand-Cœur a sauté sur mon lit. Il s'est installé à mes pieds dans ma couette moelleuse, et s'est mis à ronronner de plaisir. Heureusement que je l'ai, mon chat ! Je l'aime tant ! J'ai allumé ma lampe de chevet. En effet, même si toutes ces émotions m'avaient terrassée de fatigue, j'avais vraiment envie de t'écrire, mon cher journal. Si tu savais à quel point toi aussi tu es précieux ! Tu m'aides à traverser des épreuves comme celle qu'on vit en ce moment.

Samedi 20 décembre

J'ai dormi d'un sommeil de plomb. À 7 heures, maman a eu toutes les difficultés du monde à me réveiller. Elle partait pour l'hôpital et me demandait de garder Zoé.

– Madame Baldini est chez elle, m'a-t-elle dit. Ce matin, elle prévoit de cuisiner des biscotti pour Noël. Mais si quelque chose ne va pas, tu n'hésites pas à l'appeler. Elle arrivera tout de suite.

Zoé était toute mignonne! Elle saisissait son hochet et me faisait des sourires irrésistibles. Mais, en jouant avec elle, j'avais le cœur serré en pensant à Caro. D'autant plus que maman ne revenait pas… À 9 h 30, j'étais morte d'inquiétude!

Dix minutes plus tard, papa a appelé.
– Tout a bien été! m'a-t-il annoncé avec soulagement. Le scénario numéro 1 a fonctionné.

Quel bonheur! Ma sœur est hors de danger!

Maman est arrivée à la maison peu après. Zoé s'est tout de suite mise à pleurer.
– Oui, ma petite prunelle d'amour, tu dois avoir soif! a dit maman.

Pendant qu'elle l'allaitait, elle m'a raconté comment ça s'était passé :
– Ta sœur s'est montrée très courageuse. L'infirmière les a emmenés, elle et Nouf-Nouf, dans la salle d'opération. Papa et moi, on a attendu dans un petit salon. Le chirurgien avait promis qu'il viendrait nous voir dès qu'il aurait fini. Mais une heure plus tard, il n'était toujours pas là. On était vraiment inquiets. Il s'est encore écoulé plus d'une demi-heure avant qu'il ne réapparaisse. Heureusement, j'ai

tout de suite vu qu'il avait le sourire aux lèvres! Il nous a annoncé: « Mission accomplie! »

– Mais alors, pourquoi ça a duré si longtemps? lui ai-je demandé.

– Le chirurgien n'a pas réussi à sortir le papillon du premier coup. Comme il craignait qu'il ne se soit déplacé, il a demandé une nouvelle radiographie, tout ça pendant que Caroline dormait sous l'effet de l'anesthésie. Heureusement, le papillon n'avait pas bougé! Et au deuxième essai, il a réussi à l'attraper.

Sacrée Caro! Je voudrais déjà être demain pour la revoir!

Dimanche 21 décembre

Vers 10 h, la porte d'entrée s'est ouverte. Caroline a bondi dans mes bras.

– Merci pour Nouf-Nouf! s'est-elle écriée d'une voix anormalement grave.

– Oh, Caro! Je suis tellement contente que tu sois guérie!

– J'ai très hâte de ravoir mon papillon, m'a-t-elle expliqué. Ce sera mon porte-bonheur! Dès que je me suis réveillée de l'anesthésie, je l'ai réclamé. Mais le médecin n'a pas voulu me le donner tout de suite. Il l'a envoyé au laboratoire. Ils doivent d'abord faire des analyses pour vérifier s'il n'y a pas de vilains microbes dessus. L'infirmière m'a promis qu'ensuite, je pourrai le récupérer. On me l'enverra dans une enveloppe.

Quoi?! Ce pendentif a failli la tuer, et elle veut en faire son porte-bonheur... Ma sœur m'étonnera toujours!

Elle est allée à la toilette. J'en ai profité pour demander à papa :
– Pourquoi sa voix est bizarre ?
– Son œsophage a été sérieusement éraflé, a-t-il répondu. Tu te rappelles, le chirurgien avait parlé de cette possibilité. Mais d'ici quelques semaines, elle retrouvera sa voix normale.

Fiouuuu ! Parce que ça fait vraiment étrange, cette voix caverneuse qui sort de la bouche d'une petite fille...

Caroline doit prendre des médicaments. Mais elle ne semble pas traumatisée par son aventure. À vrai dire, je l'ai été beaucoup plus qu'elle. Quand je pense qu'elle aurait pu mourir... Non, je ne veux pas y songer, c'est trop affreux ! Le cauchemar est terminé.

Lundi 22 décembre

J'ai tout raconté à Marie-Ève. Elle n'en revenait pas ! Elle m'a reproché gentiment :
– Tu aurais dû me le dire, Alice ! Ça sert à quoi, une amie, sinon ?

Elle a raison... Mais au moins, quel soulagement de pouvoir parler maintenant. J'ai l'impression d'être délivrée d'un mauvais sort.

Cet après-midi, en revenant de l'école, j'étais en train de

retirer mes bottes dans l'entrée quand j'ai entendu Caroline énumérer :

– Naf-Naf, Nif-Nif et Nouf-Nouf, ce sont des frères. Des triplés, en fait. Mais pas des triplés identiques parce qu'ils ne se ressemblent pas beaucoup. Le cochon tout rond, lui, il s'appelle Tire-Bouchon. Maman a déjà recousu sa queue. Celle qui a de grands yeux bleus avec de longs cils, c'est une truie. Son nom est Betty. Et voilà Cochonnet ! Regarde comme il est mignon ! Tiens, je te le prête.

Intriguée, je suis entrée dans le salon. Caroline était assise sur le tapis au milieu de ses cochons en peluche. Couchée près d'elle, Zoé se tortillait de plaisir. Du sofa, Grand-Cœur les observait d'un œil bienveillant.

– C'est super, vous avez l'air de bien vous amuser ! ai-je constaté.

– Oui ! a répondu Caro avec un grand sourire. Avant, je pensais que notre bébé ne m'aimait pas. Elle souriait à tout le monde sauf à moi. Mais hier, quand elle m'a vue, elle m'a reconnue ! Maintenant, on dirait que j'existe aussi pour elle. Hein, Zouzou ?

Saisissant notre bébé d'amour dans ses bras, elle s'est mise à danser avec elle en chantant de sa voix grave : « *Qui a peur du Grand Méchant Loup ? C'est pas nous, c'est pas nous !* »

Mon chat est descendu du sofa et a filé. Zoé, elle, riait aux éclats. Bon, je crois qu'elle a fini par apprivoiser la plus jeune de ses grandes sœurs !

Dans ma chambre, un paquet m'attendait. Le tee-shirt pour mon enseignant! Il est arrivé juste à temps. En effet, c'est déjà demain, notre fête tropicale en classe. Et dire que dans trois jours, c'est Noël! Mais le plus beau cadeau, je l'ai déjà reçu! Ma sœur est revenue saine et sauve de l'hôpital!

Mardi 23 décembre

J'ai rangé mes bottes, mon habit de neige et mon gros chandail dans mon casier. En dessous, je portais mon tee-shirt turquoise sans manches et ma minijupe en jeans. Comme j'ai grandi depuis cet été, mon tee-shirt m'arrivait au nombril. Quant à ma jupe, elle était vraiment devenue très mini... Peu importe: c'était ces vêtements-là que j'avais envie de porter. Heureusement cependant que maman ne m'a pas aperçue dans cette tenue! Jamais elle ne m'aurait autorisée à partir comme ça à l'école. Il faut dire, cher journal, que j'avais pris mes précautions! Tôt ce matin, j'avais discrètement monté mon habit de neige dans ma garde-robe. Mine de rien, je suis descendue déjeuner en pyjama. Et ensuite, pendant que Caroline se brossait les dents dans la salle de bain, je me suis habillée en triple vitesse et j'ai tout de suite enfilé mon habit de neige. Ainsi, ni vu ni connu!

Donc, une heure plus tard, devant mon casier, j'ai aussi enlevé mes bas thermiques pour mettre mes sandales de plage. Marie-Ève s'est peigné les cheveux et y a accroché une belle fleur tropicale orange qu'elle a sortie d'une boîte.

– Wow! me suis-je exclamée. Où l'as-tu trouvée?

– L'hibiscus de notre salon est en pleine floraison, a expliqué Marie-Ève. J'ai coupé une de ses fleurs juste avant de partir.

– C'est très beau, a commenté Karim. Et toi Alice, ça te va super bien, ce que tu portes!

– Merci, Karim!

Dans notre classe, le tableau était décoré avec des affiches de plages, de mer bleu turquoise et de cocotiers! Notre coffre aux trésors trônait devant le tableau sur un joli tas de sable!

– On se croirait dans *Pirates des Caraïbes*! s'est émerveillé Jonathan.

Monsieur Gauthier, qui portait des lunettes de soleil, achevait de pousser nos pupitres sur les côtés. Il était vêtu d'un bermuda vert vif et d'une chemise mauve à manches courtes imprimée de palmiers.

On a lancé des serpentins et des confettis fluo à travers la classe. Africa en avait plein ses tresses! Puis, on a virevolté sur de la musique sud-américaine. Marie-Ève avait le feu aux joues. Il faut dire qu'elle dansait les yeux dans les yeux avec le beau Simon! Il fallait juste faire attention à Jonathan qui se démenait avec une énergie incroyable. Il en prenait de la place avec ses grands bras et ses longues jambes!

Quand la cloche a sonné, monsieur Gauthier a baissé le son. Il a demandé :

– Qui a envie de rester ici pendant la récréation ?

Une forêt de bras s'est levée. En effet, entre se geler le bout du nez par moins dix degrés ou danser sur un rythme brésilien, le choix était facile… Monsieur Gauthier a ouvert la porte de notre classe pour faire entrer un peu d'air. Il a mis un disque des Zap'ados, et hop ! c'était reparti ! En dansant avec Marie-Ève, Simon, Karim et Africa, j'avais l'impression d'avoir des ressorts aux pieds. Oubliés, les fractions, les résolutions de problèmes et le subjonctif présent ! Oubliées, mes mauvaises notes en anglais ! Sans compter le stress de ces derniers jours…

Les élèves de 5ᵉ A, engoncés dans leurs vêtements d'hiver, sont passés devant notre classe. L'air frigorifiés, ils nous regardaient avec envie. Ils revenaient de la récréation, les pauvres ! Derrière la procession d'élèves, il y avait… Cruella ! Le nez rougi par le froid, elle a appelé :

– Monsieur Gauthier !

Notre enseignant, trop occupé à se trémousser avec Patrick, Eduardo et les deux Catherine, ne l'entendait pas. La prof d'anglais a mis ses mains en porte-voix et a crié : « MONSIEUR GAUTHIEEER ! » Peine perdue. Il secouait la tête de gauche à droite et de droite à gauche en chantant à tue-tête :

« Vamos a la playa oh o-o-o-oh Vamos a la playa oh o-o-o-oh ! »

Éléonore est allée le chercher. Quand il a aperçu sa collègue, il a baissé le volume de la musique et l'a rejointe.

Monsieur Gauthier, d'habitude si calme et élégant, était complètement échevelé.

– Oui, madame Fattal, vous désirez? lui a-t-il demandé en ôtant ses lunettes de soleil et en essuyant son front couvert de sueur.

Faisant une grimace de dégoût, Cruella a reculé d'un pas.

– Il est interdit de rester en classe pendant la récréation! a-t-elle déclaré de sa petite voix aiguë. C'est inscrit noir sur blanc dans l'article 17 du code de vie. Vous êtes nouveau à l'école des Érables, monsieur, mais moi, ça fait 29 ans que j'y enseigne!

– Je connais les règlements, madame, a-t-il répondu. Cependant, aujourd'hui n'est pas un jour comme les autres. Mes élèves ont travaillé très fort durant tout le trimestre. J'ai voulu leur offrir une matinée de détente bien méritée.

Cruella a levé les yeux au ciel. Elle a ajouté:

– Je remplace madame Robinson qui a une rage de dents. Depuis ce matin, j'essaie d'apprendre un poème de Noël en anglais aux élèves de sa classe. Mais avec ce brouhaha, ils n'arrivent pas à se concentrer!

– Je suis désolé, s'est excusé monsieur Gauthier. Si vous voulez, j'invite les élèves de 5e A à se joindre à notre fête.

– Il n'en est pas question! a rétorqué Cruella. Je souhaite qu'ils sachent ce poème par cœur. Ainsi, ils pourront le réciter à leurs parents le matin du 25 décembre. Je tiens aux traditions, moi, monsieur!

Mais les 5ᵉ A, qui avaient fini de ranger leurs affaires dans les casiers et qui attendaient derrière la prof d'anglais, se sont écriés :

– OUI ! On arriiiive !

Et avant que Cruella ait pu émettre la moindre protestation, ils se sont rués dans notre classe et ont commencé à danser.

Elle s'est époumonée :

– Qui désire étudier la troisième strophe du poème ?

Personne ne lui a répondu. Jonathan a lancé une pluie de confettis. Outrée, Cruella a essayé d'enlever ceux qui restaient collés sur son manteau. Elle a pesté :

– Bande de sauvages ! Les élèves ne sont plus ce qu'ils étaient ! Les enseignants non plus, d'ailleurs…

Lançant un regard meurtrier à monsieur Gauthier, elle a tourné les talons. Bon débarras ! Notre enseignant a fermé la porte, et on a continué à danser au rythme de la salsa.

Quelques minutes plus tard, il s'est exclamé :

– Je meurs de soif ! Pas vous, les amis ?

Il est allé chercher deux grandes glacières sous les pupitres. À l'intérieur, il y avait des jus de fruits et du Citrobulles bien glacés. De délicieuses petites brochettes de fruits exotiques et deux sortes de chocolat : à la banane et à la noix de coco ! On a partagé le tout avec les élèves de 5ᵉ A. Ils n'en revenaient pas de leur chance d'avoir échappé à l'ennuyeux poème de Cruella.

– Il est vraiment cool, votre enseignant ! s'est
exclamé Ilhan.

– Tu as raison, il est 100 % COOL ! lui ai-je répondu en
faisant un clin d'œil à Marie-Ève.

J'étais tellement impatiente d'offrir mon cadeau à
monsieur Gauthier !

– Qu'il est beau ! s'est-il exclamé d'un air ravi quand
il a sorti le tee-shirt de son emballage.

– Il vous plaît vraiment ? ai-je demandé.

– Beaucoup, Alice ! Tu peux être sûre que je le
porterai souvent ! Quel bleu superbe ! Comme le ciel
de la Gaspésie, certains matins d'hiver. Et ce qui est inscrit
dessus, je le prends comme un beau compliment. Un grand
merci à toi et à tes parents !

Il est allé se changer aux toilettes. Mon tee-shirt est parfaitement à sa taille. Et en plus, il est assorti à la couleur
de ses yeux.

Moi, j'ai reçu un cadeau… de Patrick. Dans le paquet, j'ai
trouvé un rond en caoutchouc beige.

Sur la défensive, j'ai demandé :

– C'est quoi ?

Patrick a posé l'objet en question sur une chaise.

– Assieds-toi dessus, a-t-il dit.

C'est ce que j'ai fait.

– PROUUUT ! PRRROUUUUT !

Horrifiée, je me suis relevée d'un bond !

– Un coussin à faire des pets ! s'est exclamé Jonathan, tout
excité. Génial !

Toute la classe a éclaté de rire. Quelle blague idiote! Je me sentais terriblement gênée...

– Ton cadeau, tu peux le garder! me suis-je récriée, déçue.

Quelle malchance que mon nom ait été pigé par ce gars immature!

Par contre, Africa, elle, a eu de la chance! Monsieur Gauthier lui a tendu un petit paquet rouge vif orné d'un nœud vert fluo.

– C'est de la lecture pour les vacances, a-t-il commenté, une lueur coquine dans les yeux.

– Oh, c'est vous qui avez pigé mon nom? a dit Africa, ravie.

Elle a déballé le livre. Ses yeux sont devenus ronds comme des soucoupes. Elle a poussé un cri de joie.

– *Cent tours de magie pour débutants!* Oh, merci monsieur Gauthier!

Elle a bondi sur la pointe des pieds pour l'embrasser. Notre enseignant, qui s'est penché vers elle, a reçu un gros bisou sonore sur la joue.

– Tu pourras t'exercer pendant les vacances et, si tu as des questions, ça me fera plaisir d'y répondre à notre retour, a-t-il dit.

Après l'échange de cadeaux, il a fallu balayer la piste de danse et tout ranger. On finissait de remettre les pupitres et les chaises à leur place quand la cloche a sonné. Ça y est, c'étaient les vacances! Pendant que j'enfilais mes bottes, Patrick m'a tendu un autre paquet, rectangulaire et plat, cette fois.

– Ça, c'est mon vrai cadeau, Alice! Tout à l'heure, c'était juste une farce!

N'ayant aucune envie de me faire ridiculiser une deuxième fois, je lui ai répondu:

– Non merci, Patrick. Un seul «cadeau» me suffira! Garde tes surprises pour quelqu'un qui les appréciera!

Devant mon refus, Patrick a insisté.

– Je t'assure que, cette fois, ce n'est pas une plaisanterie. Allez, ouvre-le!

Méfiante, j'ai déballé le paquet avec précaution. J'avais peur qu'il n'explose sous mon nez! Avec Patrick, on ne sait jamais... Mais non. Dedans, j'ai trouvé un numéro spécial du magazine *MégaStar* sur les Tonic Boys! Avec plein de belles photos de Tom Thomas et des autres membres du groupe, des reportages sur leurs tournées et même des posters! J'étais agréablement surprise.

– Cool! Merci Patrick! Je préfère de loin ce cadeau-ci! Tu l'as vraiment bien choisi.

– Je suis content que ça te plaise, Alice, et... noyeux Joël! HI HI HI!

Très drôle... J'ai secoué la tête en souriant. Non, décidément, Patrick Drolet ne changera jamais.

Marie-Ève, émerveillée, a feuilleté le magazine sur les Tonic Boys.

– Je te le prêterai, lui ai-je promis.

– J'y compte bien! Tiens, tu veux un chocolat?

Elle m'a tendu la boîte de truffes que Catherine

Provencher lui avait offerte. Notre amie gourmande les avait confectionnées elle-même avec sa maman et... mmmm ! C'est vrai qu'elles étaient exquises !

Tandis qu'on descendait l'escalier, j'ai demandé à Marie-Ève :

– Tu pars à Ottawa ?

– Pas tout de suite. Pour une fois, mon père vient me chercher à l'école. On va passer prendre ma valise à Laval. Ensuite, on se rendra à Valleyfied, chez mes grands-parents, pour la Noël. Puis, vendredi, on partira tous les deux à Ottawa. Mon père a promis qu'on ferait de belles sorties ! Le 30 décembre, maman me récupérera à notre point de rencontre habituel. Et toi Alice, qu'est-ce que tu fais pendant les fêtes ?

– Pour Noël, nous aussi on est invités chez mes grands-parents, avec toute la famille de mon père. J'ai hâte de revoir mes cousins !

On est sorties dans la cour où plusieurs parents nous attendaient déjà. Il avait recommencé à neiger. Comme il n'y avait aucun vent, on aurait dit que les flocons tombaient au ralenti. C'était tellement beau !

– Je vais m'ennuyer de Simon, a soupiré Marie-Ève. Et de toi, bien sûr ! Mais nous, au moins, on aura l'occasion de se voir pendant la deuxième semaine des vacances. En attendant, joyeux Noël, Alice !

– À toi aussi, Marie-Ève !

On s'est embrassées en se serrant très fort.

– Oh, je vois mon père, a-t-elle crié en se précipitant vers la sortie. À bientôt!

Me voici arrivée à la dernière page de mon cahier rose. Cependant, rassure-toi, cher journal! Je vais continuer à t'écrire dans l'autre cahier que m'avait offert oncle Alex. Mais, au fait, où est-il?

20 h 05: J'ai fouillé ma garde-robe jusque dans ses moindres recoins, vidé les tiroirs de mon bureau et celui de ma table de chevet… Pas moyen de remettre la main dessus! J'étais vraiment frustrée!

– Quel bazar dans ta chambre, Alice! Vraiment, tu exagères! s'est écriée maman en apportant une pile de linge bien plié.

– Ne t'inquiète pas, ma petite maman. Je te promets que je rangerai tout demain matin. Je cherche mon cahier à la couverture verte que j'avais reçu en même temps que le rose. Tu ne l'aurais pas vu, par hasard?

Elle a réfléchi.

– Je me demande s'il ne serait pas dans le bureau de papa. Va voir dans l'armoire où l'on range les crayons et les feuilles de brouillon.

Il y était, en effet! Finalement, maman n'est pas si distraite… En attendant d'inaugurer le deuxième tome, cher journal, je te souhaite un très joyeux Noël!

REMERCIEMENTS

Je dédie cette histoire à mes filles Blanche et Charlotte. Elles ont grandi en suivant avec un enthousiasme toujours renouvelé les aventures quotidiennes d'Alice et l'évolution de son univers. Leur attachement à Alice ainsi que leur indéfectible soutien m'ont donné des ailes. Quant à leurs remarques et idées, elles se sont bien souvent révélées très précieuses.

Un grand merci aussi à Paule Brière, auteure jeunesse, pour sa disponibilité et ses conseils avisés, à certaines étapes clés de cette belle aventure.